*Elizabeth George*

# UMA MULHER
## *que reflete o coração de*
# JESUS

30 passos
para seguir
os *exemplos*
de Cristo

*A woman who reflects the heart of Jesus*

Copyright ©2010 de Elizabeth George
Publicado por Harvest House
Publishers (Eugene, Oregon, EUA).
www.harvesthousepublishers.com

Copyright © 2016 por Editora
Hagnos Ltda. (Português)

1ª edição: novembro de 2016
4ª reimpressão: agosto de 2023

TRADUÇÃO
Karina L. de Oliveira

REVISÃO
Josemar de Souza Pinto
Raquel Soares Fleischner

CAPA
Maquinaria Studio

DIAGRAMAÇÃO
Sonia Peticov

EDITOR
Aldo Menezes

COORDENADOR DE PRODUÇÃO
Mauro Terrengui

IMPRESSÃO E ACABAMENTO
Imprensa da Fé

As opiniões, as interpretações e os conceitos emitidos nesta obra são de responsabilidade da autora e não refletem necessariamente o ponto de vista da Hagnos.

Todos os direitos desta edição reservados à

EDITORA HAGNOS LTDA.
Rua Geraldo Flausino Gomes, 42, conj. 41
CEP 04575-060 — São Paulo, SP
Tel.: (11) 5990-3308

E-mail: hagnos@hagnos.com.br
Home page: www.hagnos.com.br

Editora associada à:

---

**Dados Internacionais de Catalogação na Publicação (CIP)**
(Câmara Brasileira do Livro, SP, Brasil)

George, Elizabeth
    Uma mulher que reflete o coração de Jesus: 30 passos para seguir o exemplo de Cristo / Elizabeth George; traduzido por Karina L. de Oliveira — São Paulo: Hagnos, 2016.

ISBN   978-85-243-0520-7

Título original: A Woman Reflects the Heart of Jesus

1. Cristãs — Vida religiosa
2. Mulheres — Vida cristã
3. Literatura devocional
4. Jesus Cristo — Exemplo
5. Deus
6. Amor
I. Título
II. Oliveira, Karina L. de.

16-0836                                                                      CDD242.643

Índice para catálogo sistemático:
1. Mulheres cristãs: literatura devocional

# Sumário

Iniciando a sua jornada .................... 5
Antes de começar:
O que lembrar a respeito de Jesus ............ 7

Dia 1: Acessível ........................... 9
Dia 2: Disponível ......................... 19
Dia 3: Compassivo ..................... 30
Dia 4: Seguro ............................. 38
Dia 5: Corajoso ........................... 46
Dia 6: Disciplinado ..................... 56
Dia 7: Fiel .................................. 65
Dia 8: Focado ............................. 73
Dia 9: Perdoador ......................... 83
Dia 10: Generoso ......................... 92
Dia 11: Manso ............................ 103
Dia 12: Bom .............................. 111
Dia 13: Gracioso ......................... 119
Dia 14: Humilde ......................... 127
Dia 15: Alegre ............................ 137
Dia 16: Benigno ......................... 145

Dia 17: Amoroso .......................... 155

Dia 18: Paciente .......................... 163

Dia 19: Pacífico ........................... 172

Dia 20: Devoto ........................... 180

Dia 21: Puro .............................. 189

Dia 22: Responsável ..................... 198

Dia 23: Sensível .......................... 207

Dia 24: Servo ............................. 217

Dia 25: Submisso ........................ 226

Dia 26: Grato ............................. 235

Dia 27: Verdadeiro ...................... 244

Dia 28: Virtuoso ......................... 253

Dia 29: Sábio ............................. 261

Dia 30: Adorador ........................ 269

*Anotações* .................................. 278

# Iniciando a sua jornada

Quando você ouve o nome "Jesus", o que vem primeiro à sua mente? À minha, é sempre a palavra "perfeito". Jesus é o homem que vivia uma vida perfeita, tinha uma conduta perfeita, era perfeito com relação ao pecado e ainda assim tinha a humanidade perfeita. Mas então minha mente segue gradualmente a pensar nesse homem perfeito como modelo perfeito, exemplo perfeito, possuidor do caráter perfeito e a pessoa perfeita, para eu seguir na minha busca pela maturidade espiritual. E isso me dá esperança.

Tive um tempo fantástico passando meses e meses pesquisando mais de uma centena de textos bíblicos e examinando cuidadosamente diversos livros sobre a vida de Cristo. Você consegue imaginar? Foi uma bênção excepcional... e um desafio condenatório. No decorrer dos meus estudos deparei com este belo e reverente resumo sobre a vida de Jesus — um resumo repleto de encorajamento para você e para mim como mulheres que o amam, oram para viver como ele e desejam refleti-lo.

> Jesus Cristo está em toda parte no Novo Testamento assumido como ideal moral e espiritual do cristão. Em sua pureza de vida, obediência perfeita ao Pai, compostura na hora da perseguição, constância no sofrimento e resistência ao pecado, ele é o modelo para o cristão quando entrar em

situações semelhantes. Nesta vida, lutamos para ser como o salvador; em nossa glorificação final, nossa alma será perfeitamente conformada à imagem dele.[1]

Agora siga em sua excursão pelas trinta qualidades de caráter incríveis que o nosso salvador exibia! Assim como em qualquer jornada, você tem um destino: a semelhança com Cristo. É você quem estabelece a velocidade para sua viagem. Você pode desfrutar de uma qualidade por dia, uma por semana, ou encontrar um ritmo que se encaixe no seu estilo de vida. É só um livro, e eu quero que você o leia e aprecie como um livro. Talvez você e uma amiga, ou um pequeno grupo, possam fazer esse estudo juntas. (Imagine... lançar inúmeras mulheres que refletem Jesus no mundo de hoje. Ele nunca mais será o mesmo... nem você!)

Será necessária sua vida inteira para completar a sua jornada pessoal rumo à semelhança com Cristo. Você chegará a seu destino quando cruzar os umbrais do paraíso e se encontrar com Jesus face a face. Ao iniciar, oro para que estes trinta pontos de vista panorâmicos ao longo do caminho a ajudem a acelerar a sua trajetória para se tornar mais parecida com o mestre, para se tornar uma mulher que reflete o coração de Jesus.

No eterno amor do Pai,

Elizabeth George

---

[1] INRIG, Gary. *A call to excellence.* Wheaton, IL: Victor Books, 1985, p. 40-41. Citação de Bernard Ramm, *Them He Glorified.* Grand Rapids: Eerdmans, 1963, p. 89.

# Antes de começar:
## O que lembrar a respeito de Jesus

Você e eu temos que ser muito gratas porque temos a Bíblia. Nela Jesus nos ensina o que é a humanidade perfeita e então a vive para nós. Jesus não é algum tipo de *superstar* celestial, intocável. Ele é uma pessoa que viveu onde vivemos, enfrentou o que enfrentamos e sentiu o que sentimos. Por isso, podemos recorrer a ele como modelo do comportamento cristão. Os padrões bíblicos que parecem tão difíceis de atingirmos são claramente vistos nele. Podemos seguir em suas pegadas e vivenciar as mesmas qualidades que ele possuía, porque ele nos mostra o caminho como um ser humano semelhante a nós.

Ao embarcar nesta jornada pelas trinta qualidades de caráter extraídas da vida de Jesus, você começará apenas a arranhar a superfície desta que é a mais incomum e incrível de todas as personalidades.

É como o versículo final dos evangelhos explica:

> *Jesus realizou ainda muitas outras coisas; se elas fossem escritas uma por uma, creio que nem no mundo inteiro caberiam os livros que seriam escritos (Jo 21.25).*

Dizer que Jesus era uma pessoa incomparável é uma depreciação! É por isso que você não precisará ir muito longe em sua leitura para descobrir que muitos dos cenários espirituais de Jesus contêm múltiplas lições e ilustram variadas qualidades de caráter. Salpicados por todo este livro, você verá alguns eventos recontados aqui e ali de uma perspectiva diferente para descrever qualidades distintas em Jesus. Você se surpreenderá olhando para o mesmo diamante, mas de outro ângulo.

Para ajudá-la a entender como um homem poderia ser o modelo perfeito do comportamento divino e como Deus poderia andar entre nós como exemplo a seguir, aqui estão algumas verdades importantes a serem lembradas sobre Jesus:

- Jesus foi o único homem a possuir duas naturezas distintas. Ele era uma personalidade que, em adição ao fato de possuir todas as características da natureza divina, tinha todas as qualidades da natureza humana perfeita, sem pecado, também.
- Jesus não abriu mão da sua natureza divina. Ele simplesmente acrescentou a sua natureza humana. O resultado dessa união foi que Jesus aceitou certas limitações quanto ao uso da sua natureza divina (Fp 2.6,7).
- Jesus não operava independentemente de suas naturezas, tanto da divina como da humana.
- A humanidade de Jesus não era a humanidade do homem caído, mas a humanidade que Adão e Eva possuíam antes da queda.
- Jesus experimentou tudo que experimentamos como humanos, inclusive fome, sede, cansaço, amor, tristeza e até ira, conquanto sem pecado.

Minha oração é que a cada dia, ao examinar outra faceta da bela vida de Jesus, você compreenda quanto Jesus é especial como o seu Senhor e salvador e como modelo para viver uma vida como mulher que o reflete.

# dia 1
## Acessível

Vivemos num momento maravilhoso da História. Você pode pegar o telefone e ligar para qualquer lugar do mundo. Pode ir ao seu computador, "surfar na *net*" e pedir desde brinquedos até TVs e recebê-los em casa. Mas não tente conversar com uma pessoa neste mundo "tecnomaluco".

Por meses — quase um ano — meu marido, Jim, tentou conversar com alguém, qualquer um(!), sobre um problema com a conta telefônica, e tudo que ele sempre conseguia era outro menu de opções. Mas, felizmente, Deus não é assim. Eu posso falar com Deus 24 horas por dia, sete dias por semana, a qualquer hora! Abro o meu coração e a minha mente e, instantaneamente, como sempre, estou em sua presença. Você tem algum problema, preocupação ou pedido? Sem problemas! É só seguir esta instrução divina e descansar nessa segurança: *Portanto, aproximemo-nos com confiança do trono da graça, para que recebamos misericórdia e encontremos graça, a fim de sermos socorridos no momento oportuno* (Hb 4.16).

É realmente reconfortante saber que Deus é tão completamente acessível. Ao iniciarmos a nossa caminhada diária em direção ao caráter mais semelhante ao de Cristo, vemos Jesus, Deus encarnado, sendo um modelo dessa acessibilidade.

# 10 UMA MULHER QUE REFLETE O CORAÇÃO DE JESUS

## ◆ Jesus nos mostra o caminho

Estou certa de que você já esteve perto de pessoas que, por causa da sua presença imponente, não pareciam ser acessíveis. O semblante delas parecia transparecer superioridade. Você sente como se fosse a maior das imposições se aproximar delas para qualquer coisa. Agora, permita que eu rapidamente acrescente que essa é apenas a sua percepção. Elas podem ser as pessoas mais doces, mais agradáveis e mais gentis da face da terra, mas algo a respeito delas faz que você hesite em se aproximar delas.

Bem, seja grata porque essa não é a imagem que Jesus projetava enquanto ele, o Deus de toda a criação, andou entre sua criação. Perceba como ele tratava vários desajustados.

### ACESSÍVEL AOS MARGINALIZADOS

A lepra tem sido historicamente uma doença terrível e assustadora por causa da sua progressão lenta, dolorosa e visível a todos. Há não muitos anos, as pessoas no Havaí estavam tão receosas da lepra que mandaram todos os leprosos para a ilha de Molokai.

Nos dias de Jesus, os leprosos também eram temidos e considerados cerimonialmente impuros de acordo com a lei judaica. Eles eram marginalizados pela sociedade. Um leproso devia gritar "Impuro, impuro!" sempre que alguém se aproximasse ou passasse perto. Mas incrivelmente, quando um leproso se aproximou de Jesus, ele *estendeu a mão, tocou-o* (Mc 1.41)! O resultado? A lepra foi imediatamente curada (v. 42).

Para desenvolver a acessibilidade semelhante à de Cristo, aprenda e viva essas palavras ditas pela boca e pelo coração do nosso querido Jesus. Ele convidava a todos, especialmente os marginalizados, dizendo: *Vinde a mim, todos os que estais cansados e sobrecarregados, e eu vos aliviarei* (Mt 11.28).

### ◆ Refletindo em seu coração

O nosso salvador não permitiu que as ditaduras da sociedade o impedissem de projetar uma imagem de que ele era acessível. O seu círculo social ou a sociedade têm ditado como você deveria tratar os outros, especialmente aqueles que poderiam ser caracterizados como marginalizados? Você é abençoada de forma abundante por Deus de tantas maneiras. Então tenha como objetivo não menosprezar aqueles que não foram tão abençoados com posição, dinheiro, roupas, educação ou saúde. Examine o seu coração. Os marginalizados conseguem se aproximar de você?

## ACESSÍVEL AOS DESESPERADOS

Estou certa de que você sabe como é ter um excelente progresso no cumprimento de todo o seu trabalho... e então tocar o telefone ou alguém chegar com uma necessidade urgente ou um fardo pesado. Você é uma pessoa legal de verdade! E gosta de ajudar os outros. Mas, quando parece que a necessidade de alguém chega na hora errada (pelo menos de acordo com o seu plano), você luta com o que fazer. Pode até se surpreender pensando: "Você não vê que eu estou ocupada?"

O que precisamos em momentos assim é de uma nova dose de Jesus! Ele parecia nunca permitir que o urgente atrapalhasse o importante. Numa ocasião, Jesus estava pregando numa casa abarrotada, literalmente (Mc 2.1-5). Não cabia mais nem uma pessoa sequer na casa. Para os quatro amigos de um paralítico que buscavam trazer o seu amigo desfavorecido para que Jesus o ajudasse, a casa cheia parecia ser uma situação desesperadora. Ainda assim, esses amigos estavam convencidos de que Jesus e somente Jesus poderia ajudar o seu amigo desesperado. Com ousadia e persistência, esses quatro homens abriram um buraco no teto da casa onde

Jesus estava ensinando e desceram a cama do amigo pelo buraco que fizeram. Imagine o atrevimento! Imagine a fé!

Nesse ponto Jesus poderia facilmente ter exclamado: "O que este homem está fazendo aqui? Vocês não veem que estou ocupado? Estou fazendo um trabalho urgente. Estou pregando a respeito de Deus!" Mas em vez disso, *vendo-lhes a fé, Jesus disse ao paralítico: filho, os teus pecados estão perdoados* (v. 5). Então Jesus milagrosamente curou a paralisia do homem. Ministrar a esse homem era importante, ainda que pregar fosse urgente.

É da mesma forma quando uma mulher se aproxima de você com algum pedido. Obviamente ela pensa que você pode ajudar, e talvez possa. Contudo, existe apenas um problema — você está ocupada, como sempre, fazendo algo que determinou ser importante. O que fazer? Este seria um bom momento para se perguntar: "Como Jesus lidaria com essa mulher?"

### ◆ Refletindo em seu coração

Na história do paralítico e os seus amigos, que se certificaram de que ele tivesse uma oportunidade de se encontrar com Jesus, e dos outros inúmeros exemplos nos Evangelhos, Jesus ensina os seus seguidores a tomarem cuidado para não permitir que as multidões, as agendas repletas e os muitos afazeres atrapalhem as pessoas que realmente precisam de ajuda. Elas são o importante. Você sempre terá algo que precisa de atenção imediata, urgente. É a vida! Mas peça que Deus lhe dê discernimento para não ignorar os gritos sinceros por socorro. Pergunte a ele: "Como tu queres que eu trate esta pessoa?"

#### ACESSÍVEL AOS AFLITOS

Como suporte dos muitos afazeres, existe a ideia de ser incomodado, que frequentemente se torna uma desculpa para não parecer acessível. Você tem pessoas para ver, lugares para ir e coisas para fazer aos montes! (Aí estão os seus muitos afazeres!) Então em todo o seu vaivém, a sua distração e o seu egocentrismo, você pode deixar passar por completo as aflições dos outros. A sua correria, intensidade e aparência dão a impressão de que você pode ficar irritada se as pessoas se aproximarem de você.

Não foi assim com Jesus. Ele tinha todo o direito de se recusar a ajudar um oficial militar romano de alta patente, que o abordou com uma questão de um de seus servos que estava sofrendo. Como Jesus reagiu? Ele disse: *Eu irei e o curarei* (Mt 8.7). O centurião romano, entretanto, que comandava cem soldados, humildemente replicou: *Senhor, não sou digno de que entres debaixo do meu teto; mas somente dize uma palavra, e o meu servo será curado* (v. 8). O centurião nem sequer pediu que Jesus viesse à sua casa. Ele sabia que seria uma grande imposição. Então, com fé, pediu apenas que Jesus desse a ordem, crendo em seu coração que o seu servo seria curado quando o Senhor mandasse.

Meu foco é que Jesus não ficou irritado com o pedido do homem. Ainda que tivesse acabado de pregar o que possivelmente seria o maior sermão de todos os tempos — o Sermão do Monte — e estivesse sendo seguido por uma multidão enorme, incrivelmente Jesus prestou atenção à aflição de um homem (ainda por cima, um temido romano!). Ele não teve problemas para entrar de fato na casa do centurião para tratar do servo do homem. Ele estava disposto a sofrer a inconveniência da viagem, dar as costas aos negócios do momento, deixar as multidões, para correr o risco da desaprovação e sofrer o incômodo de se explicar aos líderes religiosos que também o seguiam, sempre procurando razões para desacreditá-lo e condená-lo. Ainda assim, Jesus era totalmente acessível.

## ◆ Refletindo em seu coração

Qualquer coisa pode ser vista como inconveniência se você quiser que o seja. Você pode se justificar, racionalizar o dia inteiro, por não ter tempo para as pessoas. Sempre haverá razões, e algumas delas serão boas, sobre por que os outros não deveriam pedir o seu tempo e a sua ajuda. Mas tome cuidado para não levantar barreiras entre você e aqueles que você pode ajudar. Seja flexível. Quem sabe? Talvez o seu plano "A" possa se tornar o melhor plano "B" de Deus ao ajudar alguém com alguma necessidade. Para se tornar mais como Jesus, tenha como propósito e oração ser acessível como ele era... e ainda é para você hoje e todos os dias.

### ACESSÍVEL AOS INSIGNIFICANTES

Quem é o homem mais importante que já viveu? Sem dúvida é Jesus Cristo! Como tal, Jesus poderia também ter sido a pessoa mais isolada, afastada e protegida que já viveu, certo? Mas, incrivelmente, ele foi exatamente o oposto. Como estamos aprendendo, Jesus podia ser abordado por qualquer um e parece que, também, a qualquer hora.

Uma cena em Mateus 19 prova tudo isso muito bem. Aqui, *lhe trouxeram algumas crianças para que lhes impusesse as mãos e orasse por elas* (v. 13). É óbvio que os pais desses pequeninos perceberam que Jesus era acessível. Entretanto, os bem-intencionados discípulos pensavam que Jesus era importante demais para ser incomodado com e por crianças, por isso tentaram mandar embora os pais e o seus pequenos. Qual foi a resposta de Jesus? *Deixai vir a mim as crianças e não as impeçais, porque o reino dos céus é dos que são como elas. E, depois de lhes impor as mãos...* (v. 14,15).

Você é importante como cristão! Você é importante para Deus e é importante para a sua família e amigos. Mas às vezes, num momento de orgulho, é fácil esquecer que você não pode usar o seu conhecimento, as suas realizações e a sua posição para justificar ser inacessível aos outros, não importa quanto as suas realizações possam parecer importantes. Como aquelas criancinhas, todas as pessoas são importantes para Deus e merecem o nosso amor, atenção e ministério se e quando forem necessários.

Eu trabalho duro para parecer acessível. Às vezes, quando estou numa igreja ou falando numa conferência, sinto mulheres hesitantes ou pensando duas vezes em falar comigo. Algumas até se desviam pela incerteza. Mas o meu ministério é para mulheres e quero realmente visitar, conversar, ouvir e ajudar. Na verdade, esta é a minha paixão e alegria.

Então aprendi a fazer algumas coisas para aparentar ser mais acessível aos outros. Primeiro, tenho um lema pessoal aonde quer que eu vá: "Vá para dar". Esse é o meu tempo com as mulheres, com pessoas. Deixei a minha escrivaninha para "sair"! Tenho orado e ansiosamente esperado por minhas saídas, que podem ser a minha única oportunidade de atender um grupo particular de mulheres. Uma vez que chego lá, sorrio — muito! Então tento tocar o máximo de ovelhas de Deus que eu puder. Tomo a iniciativa e converso, encorajo e até toco de forma afirmativa quantas mulheres eu puder. Não sei se Jesus sorria, mas sei que ele era um doador entusiasmado e que era acessível. Ninguém era insignificante para ele. Ah, ser como ele!

## ACESSÍVEL AOS ESTRANGEIROS

O racismo não é um conceito novo. Nem o machismo é um comportamento recém-lançado. Ambos estavam em voga durante o tempo de Jesus. Os judeus eram especialmente inclinados a acreditar que, porque eram o povo escolhido de Deus eram melhores que todos os outros. Portanto não tinham nada a ver com o resto da humanidade, os gentios! As mulheres também eram tidas em baixa estima nesse tempo. Mas, incrivelmente, uma mulher gentia (não judia) percebeu que Jesus era acessível, caiu aos seus pés e lhe pediu que expulsasse um demônio da sua filha (Mc 7.24-30).

Ao ler sobre esse encontro na Bíblia, você pode inicialmente pensar que Jesus estava sendo indelicado e ofensivo ao se dirigir a essa mulher sofrida. Mas só o fato de ele, um professor, falar com uma mulher estrangeira era grande coisa! Ao testar a sua fé, dizendo que a primeira responsabilidade dele era com os judeus, como prometido por Deus, ele também estava criando uma brecha para os gentios, inclusive essa mulher. Nenhum outro líder em todo o Israel teria tido sequer essa conversa com ela, mas somente afirmado: *Vai; o demônio já saiu de tua filha* (v. 29). Que exemplo brilhante do efeito de ser acessível!

Só porque alguém lhe parece "diferente" não justifica uma esquiva mental. Jesus se coloca numa posição em que uma estrangeira *e ainda* mulher — duas vezes marginalizada — poderia se aproximar dele. Deus nunca teve a intenção que os judeus se isolassem do resto do mundo. As intenções de Deus não mudaram para você e para mim hoje. Devemos entrar no mundo e esbarrar com diferentes grupos étnicos. Não devemos evitá-los, mas imitar Jesus, aceitar as suas diferenças e estar prontos quando se aproximarem de nós em seu momento de necessidade.

## Acessível aos falsos

Tenho enfatizado a importância de ser acessível. Normalmente isso não é um problema para a maioria das mulheres. Em geral, as mulheres estão disponíveis aos outros, especialmente para a sua família e os seus amigos. Quando alguém precisa de nós, estamos prontas para ajudar. Mas como você lida com uma pessoa que diz que quer o seu conselho ou auxílio e, ainda assim, uma vez que você o tenha dado, ela o desconsidera e faz o oposto?

Isso definitivamente aconteceu com Jesus! Frequentemente ele era abordado por pessoas que diziam querer sua ajuda, mas lá no fundo não queriam. Por exemplo: A passagem de Marcos 10.17-22 nos dá um exemplo perfeito de tal pessoa, que se aproximou de Jesus para perguntar: *Bom mestre, que farei para herdar a vida eterna?* (v. 17).

Essa é provavelmente a pergunta mais importante que alguém pode fazer. Porém Jesus conhecia o coração desse rapaz e sabia quanto ele era apegado ao seu dinheiro. Então Jesus fez um teste com ele para ver do que ele estava disposto a abrir mão. Jesus disse a esse jovem rico: *Vai, vende tudo o que tens e dá-o aos pobres; e terás um tesouro no céu; depois vem e segue-me* (v. 21).

Jesus amou esse rapaz (v.21), queria ajudar e estava disposto a tal. Mas basicamente o homem não queria a ajuda de Jesus. Ele parecia dizer e fazer todas as coisas certas, mas no final das contas deixou Jesus porque estava relutante em obedecer a ele e segui-lo.

Infelizmente, você terá encontros como esse. Você é acessível, as pessoas sabem disso e algumas buscarão o seu auxílio. Mas não vão querer sinceramente seguir o seu conselho e rejeitarão a sua ajuda. Essas experiências são tristes e às vezes dolorosas. A sua reação inicial pode ser se retirar e se blindar para não ser ferida pelos outros novamente.

Por favor, não sucumba a esse tipo de pensamento. Deus lhe dotou e preparou com a ajuda que você pode dar a muitos outros que estão sincera e desesperadamente precisando do que você tem a oferecer! Tente se esquecer daqueles que usaram e abusaram de você. Levante-se e bata a poeira. Então ore por eles e peça que Deus lhe dê novamente um coração que busca seguir Jesus e ser acessível. Afinal de contas, um dos doze discípulos traiu Jesus e ainda assim Jesus deu a sua vida e o seu sangue como resgate por aqueles que se aproximam da cruz.

### ◆ Refletindo o coração de Jesus

Ser acessível é uma qualidade sutil. Você pode pensar: "É claro que qualquer um pode falar comigo e me pedir qualquer coisa!" Mas você também pode estar comunicando justamente a atitude oposta. Pense novamente na acessibilidade de Jesus. Você tem certeza de que está acessível? Para o seu marido e os seus filhos? Para as pessoas da igreja, do trabalho ou da casa ao lado? O seu coração está atento àqueles que são marginalizados, desesperados, aflitos e necessitados, estrangeiros aparentemente insignificantes, até mesmo aos falsos?

Foi isso o que Jesus quis dizer quando disse: *Vinde a mim, todos os que estais cansados e sobrecarregados, e eu vos aliviarei* (Mt 11.28). Peça que Deus lhe dê o amor dele. Ore por um espírito acessível que refletirá o coração de Jesus, o único que nunca se recusou aos clamores de ninguém que estivesse em necessidade e sinceramente buscando ajuda... inclusive você!

### Uma oração

*Senhor Jesus, obrigada porque sempre estás acessível nos meus momentos de necessidade. Que eu reflita o teu coração e esteja pronta a receber os outros que precisam da tua ajuda através de mim. Amém.*

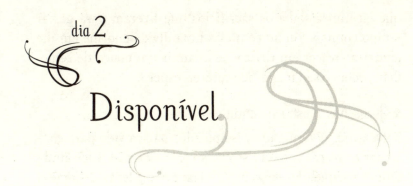

# dia 2
# Disponível

Meu marido, Jim, me ensinou uma porção de coisas sobre o que significa estar disponível. Como pastor e professor de seminário, onde quer que fosse o escritório dele, havia uma fila do lado de fora da porta. Eu costumava provocá-lo dizendo que ele precisava de uma máquina de senhas! Não importa quanto estivesse ocupado (acredite, ele era tão ocupado que parecia existir uma nuvem de poeira atrás dele!), de alguma forma, Jim sempre estava disponível para aqueles que ele liderava, que trabalhavam com ele, os que ele tinha apresentado a Cristo, discipulava e ensinava. Como esposa dele, tive que aprender a supor que teria de esperar e aguardar de forma substancial em qualquer momento que fôssemos à igreja porque ele era disponível. Mesmo depois de os seus alunos terem se formado ou de as pessoas terem se mudado para longe, muitas delas ainda ligam ou mandam *e-mail* para o Jim. E você já adivinhou: ele ainda está disponível.

Também quando penso nas mulheres que se importaram comigo e derramaram o seu conhecimento de Cristo sobre a minha vida, devo agradecer a Deus pelo tanto que foram disponíveis para mim. Sei que elas eram superocupadas e ainda assim encontravam tempo — para se encontrar comigo, orar comigo e por mim, para dar conselhos quando necessário e sempre prover encorajamento em abundância. É provável

UMA MULHER QUE REFLETE O CORAÇÃO DE JESUS

que eu nunca saiba os sacrifícios que fizeram para gastar tempo comigo. Tenho com elas uma dívida enorme em me ajudar a crescer em Cristo... e assumir um pouco de semelhança com o seu magnífico caráter, espero.

## ◆ Jesus nos mostra o caminho

Talvez você já tenha um discipulador na sua vida para continuar a crescer como cristã. Caso tenha ou não, você ainda tem o discipulador e exemplo máximo em Jesus. Ninguém é mais disponível do que Jesus. Ele está sempre presente. Com uma simples oração de três palavras, como o grito de socorro de Pedro — "Senhor, me ajuda!" — quando estiver afundando no mar da Galileia, você pode alcançar Jesus num nanossegundo. Como a Bíblia diz: *Porque os olhos do Senhor estão sobre os justos, e os seus ouvidos, atentos à sua súplica* (1Pe 3.12).

Você já pensou o que custou para Jesus se tornar disponível à humanidade? Para começar, em algum ponto da eternidade passada, antes de existir o tempo, Jesus aceitou de forma deliberada o plano do Pai para ele de assumir um corpo humano para que pudesse habitar entre nós. Ele também se humilhou ao se tornar humano para que pudesse servir como sacrifício perfeito pelo pecado. Jesus se voluntariou para a tarefa de vir à terra para salvar e ministrar àqueles que ele criou. Ele se fez disponível ao Pai antes do tempo. E essa disponibilidade continuou durante o ministério terreno de Jesus.

Hoje somos expostas a outra rica qualidade de caráter que Jesus possuía: a disponibilidade. Assim como no caso de todas as qualidades destacadas neste livro, a disponibilidade era perfeitamente vivenciada por Jesus. Isso significa que podemos aprender sobre a disponibilidade, vê-la na sua bela vida e, por sua graça, imitá-la. Ao começarmos a olhar para essa importante virtude, você pode estar imaginando como essa qualidade difere da acessibilidade. Fico feliz que tenha perguntado!

DISPONÍVEL 21

A "acessibilidade" incorpora a ideia de uma atitude passiva e amigável. Ela envolve como os outros a percebem a distância. Ser acessível significa que alguém poderia olhar para você ou para mim e sentir que somos amigáveis e fáceis de conversar. Ela consegue até perceber que os outros podem chegar até você e não ser rejeitados, dispensados ou esnobados. Você se recorda de como Jesus exemplificou essa qualidade no capítulo anterior? Você se lembra de como a mulher estrangeira sentiu que poderia chegar a Jesus com um pedido por sua filha enferma? Como os pais das criancinhas — e até as próprias crianças — não hesitaram em vir até Jesus e se reunir ao redor dele? Até alguém como o jovem rico — alguém que Jesus sabia que não faria o que ele disse e não o seguiria — sentiu que poderia abordar o Senhor, fazer-lhe perguntas e conversar com ele.

A "disponibilidade" tem uma postura mais ativa. Ela costuma tomar a iniciativa de estender a mão. A pessoa disponível é alguém pronto, preparado e ansioso para reagir quando acredita que pode ajudar e tem algo a oferecer. O que vem imediatamente à minha mente é a profetisa e juíza Débora. Essa mulher se sentava debaixo de uma palmeira e esperava que os filhos de Israel viessem até ela para receber ajuda e julgamento (Jz 4.4-5). Então quando Baraque, um líder militar de Israel, solicitou a sua presença durante uma batalha vital, ela foi com ele de bom grado (Jz 4.4-9). Agora os meus pensamentos correm para Isabel, que estava disponível e abriu a sua casa e o seu coração para a recém-grávida Maria, a futura mãe do nosso Senhor.

Mas quero que nos concentremos em Jesus. O termo "disponível" o descreve, não é mesmo? Logo veremos que ele era exatamente essa pessoa — o varão perfeito, sempre pronto e disponível para reagir, porque sabia que poderia ajudar. Na verdade, isso fazia parte da sua missão de vida: *O filho do* homem, que não veio para ser servido, mas para servir e para dar a vida em resgate de muitos (Mt 20.28). Vamos observá-lo agora ao caminhar pela terra, totalmente disponível.

## DÁ-ME UM POUCO DE ÁGUA

Jesus mal havia iniciado o seu ministério quando veio de Jerusalém para Samaria em seu caminho para a Galileia. A rota mais curta era por Samaria, uma área transbordante de uma raça misturada de pessoas que os judeus desprezavam. Embora Jesus fosse o Verbo feito carne (Jo 1.14), ainda sentia os efeitos das limitações físicas do seu corpo humano. Ele e os seus discípulos estavam caminhando desde o início da manhã. Era meio-dia quando o seu grupo parou em Samaria para tomar água de um poço (Jo 4.6). Ali Jesus se sentou junto ao poço da cidade enquanto os discípulos iam à vila local atrás de comida. Enquanto estavam fora, uma mulher sozinha se aproximou do poço para tirar água. Não era comum uma mulher vir sozinha até o poço. Também era uma hora estranha do dia para fazê-lo, porque as mulheres costumavam chegar ao poço cedo ou no final do dia para evitar o calor. Essa mulher — geralmente indicada como "a mulher do poço" — também tinha uma má reputação (consulte v. 16-18).

Assim que a mulher se aproximou do poço, Jesus tomou a iniciativa e falou com ela, pedindo-lhe: *Dá-me um pouco de água* (v. 7). Jesus quebrou todos os costumes sociais, religiosos e raciais iniciando uma conversa com essa mulher.

Jesus sentiu que essa mulher tinha uma necessidade e ele sabia que poderia ajudar. Você pode ler a conversa completa entre eles nos versículos 7-26. No final, não apenas essa mulher respondeu à oferta de ajuda espiritual de Jesus, mas também toda a vila! Essa é uma resposta e tanto — e tudo porque Jesus estava disposto a quebrar algumas regras sociais e estar disponível.

## ◆ Refletindo em seu coração

O evangelho é para todas as pessoas. Ele foi feito para ser compartilhado até os confins da terra com qualquer um, independentemente de raça, posição social, condição religiosa ou estado moral passado ou presente. Você acha que o seu coração tem compaixão pelos perdidos? Você está preparada, disposta e disponível para compartilhar "as boas-novas" de Jesus Cristo, a qualquer hora e em qualquer lugar, com qualquer um? Mesmo que esse desafio lhe deixe um pouco desconfortável, pelo menos você pode se fazer disponível estendendo a sua mão com bondade e interesse. Como Jesus, simplesmente se importe e esteja disponível de forma genuína.

### Todos te procuram

Você sempre sente que no final de quase todos os dias todo mundo a está procurando? Talvez até sinta isso quando o seu dia está apenas começando! O seu marido, os seus filhos, o seu chefe, os seus pais, o seu grupo de mulheres e a corrente de oração da igreja estão todos clamando por um pedaço de você. Bem, numa pequena proporção, você está tendo uma ideia de como Jesus deve ter se sentido num dia em particular descrito em Marcos 1.29-39. Aqui está como foi o dia dele depois de ensinar na sinagoga e lidar com demônios. Note que, apesar de já estar fisicamente cansado e esgotado, o seu coração estava com as pessoas e ele mostrava-se disponível para seguir em frente estendendo-lhes a mão, uma após a outra.

- ◆ Ele estendeu a mão e curou a sogra de Pedro dentro da casa (v. 31).
- ◆ Ele estendeu a mão e curou todos os que estavam esperando no lado de fora da casa (v. 32).

- Ele estendeu a mão ao restante da cidade conforme a notícia se espalhou de que ele estava disponível a ajudá-los (v. 33-34).
- Ele estendeu a mão a toda a Galileia depois de ser orientado em oração a estar disponível às pessoas de outras cidades nas redondezas (v. 35-39).

Como você bem sabe, estar disponível exige muito. Você pode rapidamente ficar exausta pelas demandas incessantes pelo seu tempo e pela sua energia. Então como decidir quem recebe — e realmente precisa — de sua atenção e cuidado?

Aqui está uma forma pela qual Jesus respondeu a essa pergunta: *No dia seguinte ao que acabei de descrever, ele se preparou para mais um dia repleto de pessoas, levantando-se cedo, antes de todos os outros, retirando-se para um lugar quieto, e orando* (v. 35).

O resultado? A oração renovou o filho de Deus para o que seria esperado dele durante o novo dia à sua frente. A oração também lhe deu direção para o dia. Os discípulos queriam que ele ficasse e se beneficiasse do entusiasmo e sucesso do ministério do dia anterior. *E, quando o encontraram, disseram-lhe: Todos te procuram* (v. 37). Mas Jesus, tendo recebido a ordem do dia direto do Pai enquanto orava, respondeu: *Vamos a outros lugares, aos povoados vizinhos, para que também eu pregue ali* (v. 38).

### ◆ Refletindo em seu coração

É correto e semelhante a Cristo estar disponível, mas você não pode ir a todos os lugares e ministrar a todas as necessidades. Então se certifique de buscar direção clara para cada novo dia. Comece orando. Faça como Jesus: verifique com o Pai qual é o seu comando. Então comece em casa ficando disponível para a sua família.

DISPONÍVEL 25

ENQUANTO AINDA LHES DIZIA ESSAS COISAS...
Muitas vezes, estar disponível é um gêmeo complementar de ser acessível. Esse definitivamente foi o caso de Jesus numa ocasião. Ele estava profundamente envolvido numa sessão de perguntas e respostas quando, *enquanto ainda lhes dizia essas coisas, chegou um dos chefes da sinagoga e, ajoelhando-se, disse: Minha filha acaba de morrer; mas vem, impõe-lhe a mão, e ela viverá. Então Jesus se levantou e o acompanhou, ele e os seus discípulos* (Mt 9.18,19). Enquanto esse grupo estava a caminho da casa do chefe da sinagoga, Jesus foi interrompido novamente quando uma mulher, que estava doente de hemorragia havia doze anos estendeu sua mão e tocou a borda de suas vestes. Jesus estava numa missão... mas Jesus parou e, voltando-se para ela, a curou (v. 20-22). Finalmente, ele entrou na casa do chefe da sinagoga, para ainda deparar com outro obstáculo com o qual precisava lidar: algumas carpideiras profissionais já estavam ali criando um tumulto barulhento e caótico (v. 23,24). Depois de mandar todos para fora da casa, o Senhor finalmente pôde pegar a menina morta pela mão e trazê-la de volta à vida (v. 24-26).

◆ Refletindo em seu coração

Vida e ministério nunca são simples. Isso porque envolvem pessoas. Talvez se você se enclausurasse num monastério em algum lugar, as coisas poderiam ser muito mais simples. Mas a fim de quê? Quem se beneficiaria de tal existência? Jesus definitivamente nos mostrou um caminho melhor ao andar entre as pessoas e estava claramente aberto e disponível para elas. Sim, o caos e a pressão algumas vezes disparam, mas ao final de um dia auxiliando os outros, pessoas são ajudadas e milagres acontecem — não o tipo de milagres que Jesus operou, mas milagres de esperança e segurança, de amor e conforto. Tudo começa com estar disponível. Para ser abençoada — e ser uma bênção —, esteja disponível.

### Teu irmão ressuscitará

Três nomes surgem várias vezes em todos os evangelhos — Lázaro, Marta e Maria. Esse trio era formado por um irmão e duas irmãs. Eles eram próximos uns dos outros e amigos chegados de Jesus. Nós nos encontraremos com Marta e Maria em outras ocasiões neste livro, mas, por enquanto, conheça o irmão delas, Lázaro. Lamentavelmente, Lázaro está morrendo, e as suas irmãs pedem que Jesus venha e o cure (Jo 11.1-5).

Havia somente um problema: os líderes religiosos já tinham tentado matar Jesus (v. 8), de modo que retornar a Betânia era extremante perigoso. Na verdade, quando Jesus decidiu visitar Lázaro, o seu discípulo Tomé de forma resignada declarou: *Vamos nós também para morrer com ele* (v. 16). Os discípulos pensaram que seriam mortos junto com Jesus. Jesus soberanamente sabia que a sua hora de morrer não chegaria enquanto estivesse na casa de Lázaro, mas essa cena nos mostra que estar disponível às vezes pode nos colocar em situações difíceis.

Tomé e os outros discípulos estavam prontos para ir com Jesus mesmo compreendendo o perigo que poderia aguardá-los. Segurança e coragem costumam se resumir em confiar em Jesus e ser obediente. Sim, estar disponível é assustador. E as coisas acontecem! Mas poder e bênção aguardam você do outro lado do seu primeiro passo de fé e obediência — sendo disponível. Quando Jesus chegou à casa de Marta, Lázaro já estava morto e enterrado, mas ainda assim ele prometeu à Marta: *Teu irmão ressuscitará* (v. 23). Porque os discípulos estavam lá, foram abençoados por testemunharem Cristo ressuscitar Lázaro dos mortos de forma milagrosa!

## Hoje tenho de ficar em tua casa

Normalmente é fácil se tornar disponível para a família, os amigos e outros que estão na sua lista de "pessoas queridas". Mas e estar disponível àqueles que estão na lista das "pessoas desagradáveis"? Essa é uma outra história, não é?

Jesus nos mostra um caminho melhor ao olharmos para o cobrador de impostos chamado Zaqueu. Sua história se encontra em Lucas 19.1-10. Aqui vemos Jesus se dirigindo a Jerusalém e sua iminente morte. Quando Zaqueu ouviu que Jesus estava passando por ali, subiu numa árvore para ter uma visão melhor de Jesus. Passando por ali, Jesus notou Zaqueu e tomou a iniciativa, dizendo: *Zaqueu, desce depressa, porque hoje tenho de ficar em tua casa* (v. 5).

Ainda que Zaqueu fosse considerado um trapaceiro, traidor, Jesus se fez disponível a ele. Em resposta à amistosa antecipação de Jesus, Zaqueu fez um voto de devolver qualquer imposto excessivo que tivesse cobrado, oferecendo ainda mais que o considerado normal para uma restituição. Como Jesus lhe tinha sido disponível, Zaqueu estava agora tornando o seu dinheiro e ele mesmo disponíveis para os outros. Esse foi o fruto da sua conversa.

Estar disponível era uma ferramenta poderosa nas mãos de Jesus. Com apenas uma abertura, ele transmitia amor, respeito, um coração caridoso e uma capacidade para ajudar. Zaqueu era um homem solitário e excluído. O que ele almejava era que alguém o reconhecesse e mostrasse um pouco de atenção. Tudo que Jesus teve de fazer foi chamar o seu nome: "Zaqueu".

Olhe à sua volta. Existem pessoas como Zaqueu em toda parte. Elas estão procurando alguém que esteja disponível para ouvir e mostrar empatia com a sua dor, oferecer uma palavra doce. E, uma vez que você comece a estabelecer relacionamentos, quem sabe, essas pessoas podem até abraçar

28  UMA MULHER QUE REFLETE O CORAÇÃO DE JESUS

as boas-novas de Jesus Cristo como aquele que as ama e está sempre disponível para ir ao encontro de suas necessidades espirituais.

◆ **Refletindo o coração de Jesus**

Iniciamos este capítulo olhando para a disponibilidade de Jesus ao Pai e a sua disposição em se submeter, tornando-se humano — com todas as suas limitações — para que ficasse disponível à humanidade. Essa disponibilidade foi constante durante todo o seu breve tempo de ministério. E continuou a se oferecer como sacrifício perfeito, a ponto de morrer. Agora, a sua disponibilidade continua, pois *também pode salvar perfeitamente os que por meio dele se chegam a Deus, pois vive sempre para interceder por eles* (Hb 7.25).

Como você e eu poderíamos não responder ao exemplo que Jesus estabeleceu diante de nós? Ainda assim, em nosso egoísmo somos tentadas a nos recolher à nossa privacidade. Pensamos que precisamos do nosso espaço. De forma egoísta, nos apegamos aos muitos benefícios e recursos que Jesus nos deu para compartilhar com os outros. Com certeza, Jesus nunca teve a intenção de que o seu povo (incluindo nós) escondesse a sua salvação e as bênçãos resultantes dela.

Em vez disso, o nosso Senhor quer que iniciemos uma conversa com os outros, como a mulher do poço. Ele quer dizer que temos de nos desdobrar a cada dia estendendo a mão às pessoas, como ele fez no que possivelmente foi o seu dia mais cheio no planeta Terra. Ele nos dá a graça de estarmos disponíveis àqueles que estão sofrendo, como o homem com a filha morta, a mulher com doze anos de enfermidade e as irmãs de quem o irmão havia morrido — até um tipo como Zaqueu que estava curioso a respeito de Jesus.

A oração é o lugar perfeito para começar! Peça que Deus abra o seu coração, os seus olhos e os seus ouvidos — talvez até a sua carteira — para os outros. Tenha como objetivo diário ser amigável, sorrir, estar pronta e disponível para refletir o grande coração de Jesus.

## Uma oração

*Ah, Pai, preciso da tua ajuda! Mostra-me como equilibrar os meus muitos afazeres com ser uma representação melhor de ti. Que eu me lembre da tua disponibilidade completa para mim quando o meu coração clama a ti. Dá-me olhos que veem, ouvidos que ouvem e um coração que responde às necessidades dos outros. Obrigada... e amém.*

# dia 3
# Compassivo

Talvez você já tenha passado pelo que vivi na semana passada. Você sabe que alguma coisa está errada. Não gosta da maneira como está se comportando ou pensando. Não consegue acreditar em como está tratando os outros ou respondendo às pessoas de forma tão insensível. Você está sem filtro e sabe disso. Não é o seu "eu legal" — o eu que você quer e busca ser. Com certeza não está agindo de maneira alguma como uma mulher que é cheia do Espírito Santo e que anda com Jesus.

Sentindo tudo o que descrevi anteriormente, sentei-me hoje cedo para fazer um levantamento da semana passada. Parei todos os meus afazeres e dediquei tempo para olhar para dentro do meu coração. Eu queria ver se conseguiria apontar o que estava faltando, porque não estava gostando da forma como as coisas (e eu!) estavam indo. Para minha grande surpresa, a minha sondagem do coração levou apenas alguns minutos até que fiquei face a face com a realidade de que uma das principais qualidades de caráter estava faltando em mim e no meu coração, havia mais ou menos uma semana. Era a "compaixão".

Acho que uma razão de ter me escapado tão feio que a compaixão figurava no topo da minha lista de necessidades espirituais se devia ao fato de que estava no início do ano novo... e eu já estava atrasada. Eu tinha tantos planos e sonhos tão grandiosos para mim. Para começar, havia coisas pela casa que eu pretendia consertar, terminar, limpar, organizar ou melhorar no ano passado. E uma vez que a decoração de Natal estava toda desmontada e guardada, eu já estava superpronta para mergulhar para valer nesses projetos. Os fatos? Até a presente data (e já era 8 de janeiro), nada tinha sido feito dessa lista.

Existia também um monte de bilhetes de agradecimento que eu escreveria imediatamente, antes que ficasse vergonhosamente tarde. (No ano passado, dissera que nunca mais faria isso!) E, ainda assim, lá estavam eles. Se eu não desse conta dessa pilha logo, teria de começar a tirar o pó dela!

E as minhas resoluções e novas disciplinas que eu colocaria em prática (pelo menos) neste ano (mesmo que isso me matasse)? Mais uma vez, nada!

Praticamente nada aconteceu em mais de uma semana nessas áreas da pobre vida patética que arrastei tanto neste novo ano. Em vez disso, o que aconteceu? Tenho estado irritada, frustrada e até chorona. Em vez de recorrer ao Pai em oração, aumentei ainda mais os meus esforços, impulso e determinação para me ajudar em minha busca por progresso nessas áreas. De forma surpreendente, os meus esforços carnais para ser produtiva mudaram os meus hábitos e saíram pela culatra. Lá se foi qualquer indício do que deveria ser amável e semelhante a Cristo nas minhas ações e atitudes.

◆ **Jesus nos mostra o caminho**

Quando penso em compaixão, sempre me recordo de uma expressão normalmente usada nos evangelhos que grudou na minha mente. Na verdade, não consigo me livrar dela, mesmo que eu queira. Ela descreve o nosso Senhor e salvador Jesus Cristo. Em inúmeras ocasiões Jesus é descrito como sendo "movido por compaixão". Essas palavras são

UMA MULHER QUE REFLETE O CORAÇÃO DE JESUS

precedidas por uma cena em que alguém está em necessidade. Então são seguidas por algum ato de caridade, bondade e ajuda de Jesus. É verdade que uma imagem vale por mil palavras. Então me acompanhe agora através de alguns exemplos de compaixão que ocorreram nos dias de ministério de Jesus na terra.

## AS DEMONSTRAÇÕES DE COMPAIXÃO
### Cena 1

A primeira foto sobre a qual queremos investigar foi tirada em Marcos 1.40-42. Jesus estava na estrada. Ele tinha iniciado o seu ministério público oficial. Ao curar doentes e expulsar demônios, a sua fama se espalhou, tanto que, para onde quer que ele fosse, multidões apareciam, trazendo consigo aqueles que sabiam que estavam doentes ou possuídos por espíritos malignos.

Se você acha que a sua vida é ocupada e frenética — e desafiadora — e pensa que está comprometida com um ministério sério para pessoas, vai querer notar como os dias de Jesus eram inacreditavelmente cheios. Depois de expulsar um espírito maligno em Cafarnaum, a Bíblia relata que a *sua fama se espalhou por toda a região da Galileia* (Mc 1.28). Então, depois de ficar com o seu discípulo Pedro e curar a sogra deste, a cidade inteira se reuniu na frente da casa de Pedro e *trouxeram-lhe todos os doentes e endemoninhados* (v. 32). Todo lugar aonde Jesus ia, as pessoas se lançavam sobre ele com as suas necessidades. Isso é que é desafio! Isso que é caos!

Nessa primeira fotografia, Jesus foi abordado por um homem com lepra e fé suficiente em Cristo para dizer: *Se quiseres, podes purificar-me* (v. 40).

As palavras exatas a seguir na Bíblia relatam que *Jesus, movido por compaixão, estendeu a mão, tocou-o* (v. 41). O resultado da compaixão de Jesus — e do o seu poder? O pobre homem

COMPASSIVO 33

foi completamente purificado da sua lepra. Ao contrário das pessoas, que rejeitavam e se afastavam dos leprosos, Jesus estendeu a mão e tocou esse deplorável leproso.

## Cena 2

Outro retrato magnífico da compaixão de Jesus está registrado em Marcos 6.30-32. Dessa vez não havia leprosos ou estranhos em necessidade. Não, eram os próprios discípulos de Jesus, cansados e exaustos do ministério. Eles não estavam reclamando nem pediram nada a Jesus. Mas ele sentiu o seu peso e a sua carência de sossego, descanso e folga. Então, porque turbilhões de pessoas estavam indo e vindo e se reunindo em Cafarnaum, tomou a iniciativa e os incitou: *Acompanhai-me a um lugar deserto e descansai um pouco* (v. 31). Mostrando simpatia e empatia por esses homens fiéis ainda que cansados, o salvador sugeriu um tempo longe do ministério para o restabelecimento de seus amigos e para lhes dar a oportunidade de restaurar as suas forças.

Amo essa cena que destaca o terno cuidado de Cristo pelos seus discípulos. Ele estava ciente das labutas dos seus discípulos e do preço que lhes foi imposto. Em sua compaixão, bolou um plano que lhes proporcionaria alívio da constância do ministério — descanso para o cansaço e refúgio das massas, sem mencionar a sua própria presença!

## Cena 3

É provável que você possa adivinhar o que aconteceu assim que os discípulos entraram no barco com Jesus e navegaram para outro lugar a fim de desfrutar do tão necessário tempo de descanso e lazer longe das multidões. As massas (cerca de 5.000 para mais!) nesse novo lugar reconheceram o grupo, espalharam a notícia e rapidamente uma multidão correu e se reuniu no lugar para onde eles tinham se retirado. Na verdade, as pessoas foram para lá antes que o barco que levava Jesus e os discípulos chegasse. Lá se foi a chance de os discípulos terem um pouco de privacidade e restauração (v. 32,33)!

A reação à multidão e às suas necessidades? Prepare-se para testemunhar duas — não, na verdade três — reações compassivas.

Primeiro, lemos sobre a reação inicial de Jesus: *Jesus viu uma grande multidão e teve compaixão dela*. Por quê? *Pois eram como ovelhas que não têm pastor*. E o que ele fez a respeito dessa condição e necessidade? *Começou a ensinar-lhes muitas coisas* [até que] já era tarde (v. 34,35). Talvez ao contrário de você e de mim, Jesus não tenha ficado aborrecido. Ele não desmoronou porque o seu plano foi contrariado. Não ficou frustrado ou aborrecido com as pessoas. E não ficou irritado com essa interrupção. Não, ele foi movido por compaixão. As pessoas não tinham um pastor! Então Jesus, o pastor, alimentou o volumoso rebanho com alimento espiritual, ensinando-lhes sobre o reino de Deus (Lc 9.11). Ele também curou aqueles que precisavam de cura.

A seguir, enxergamos compaixão por meio dos olhos dos discípulos. Conforme as horas passavam e o fim do dia se aproximava, os discípulos também tiveram compaixão da multidão. Podemos ouvir o seu coração nestas palavras ditas a Jesus: *O lugar é deserto, e já é muito tarde. Manda-os embora, para que possam ir aos campos e povoados em redor e comprem algo para comer* (Mc 6.35,36).

Superficialmente, a reação deles pode parecer áspera. Mas a preocupação deles era genuína e precisa. As pessoas tinham vindo de muito longe para estar com Jesus num lugar remoto, possivelmente largando as suas casas e cidades no impulso do momento quando ouviram que Jesus havia sido avistado aproximando-se da margem. Elas não tinham trazido comida e a escuridão se aproximava. A solução compassiva dos discípulos? Despedir a multidão antes que ficasse escuro demais e mandar as pessoas para casa a fim de poder comer e encontrar um lugar onde passar a noite.

Então era a vez de Jesus novamente mostrar compaixão. Ele se voltou para os discípulos que tinham sugerido o plano "A", uma sugestão prática para um grande problema: *manda -os embora*. Jesus, sempre o planejador perfeito, apresentou o plano "B" ("B" de Belo e Brilhante!): *Dai-lhes de comer vós mesmos* (v. 37). É claro que isso era impossível quando você está olhando para um grupo de mais de 5.000 homens (sem mencionar as mulheres e crianças que os acompanhavam)! Então Jesus operou o impossível — um milagre. Ele multiplicou cinco pães e dois peixes, fornecendo comida suficiente para as pessoas ficarem satisfeitas. Incrivelmente, sobraram doze cestos cheios (v. 37-44)!

## O MODELO DE COMPAIXÃO

Compaixão era a especialidade de Jesus. Como já mencionei, ele era movido por compaixão. Sabemos que compaixão significa ter piedade da condição dos outros. Ser compassivo é ser misericordioso, estar cheio de empatia e misericórdia. A compaixão mostra interesse. Na verdade, ela mostra profundo interesse. Ela ora, pensa, procura e busca ajudar os que estão em necessidade com o que precisam. Faz o trabalho necessário para prover o cuidado, até quando cansado, tarde da noite, a noite inteira. Ela se origina da preocupação genuína com os sofrimentos e infortúnios dos outros.

Ninguém pode se equiparar a Jesus quando o assunto é compaixão. Ele, sendo Deus encarnado, é o homem mais compassivo que já viveu e andou na terra. Para ele, isso vinha naturalmente, revelando que essa era a sua natureza, a sua natureza divina. Ele era perfeito, assim como a sua compaixão. Felizmente, podemos cultivar a compaixão. Podemos crescer

# 36 UMA MULHER QUE REFLETE O CORAÇÃO DE JESUS

nessa questão do coração. Podemos orar e fazer o propósito de nos interessar mais pelos outros, sentir as suas dores e reagir com uma mistura de piedade e ajuda. Louvado seja Deus, porque podemos esmiuçar e aprender com o álbum de fotos da terna compaixão de Jesus na Palavra viva de Deus.

O que sobra em nosso coração e em nossas ações quando está faltando algo tão belo e semelhante a Cristo como a compaixão? Eu sei a resposta para essa pergunta. O que sobra é algo terrivelmente feio! Sem compaixão, vivemos na esfera oposta — uma esfera de frieza e falta de compaixão.

Depois de olhar para o interior — o exame do coração —, olhamos para cima! Quando reconhecemos a nossa deformidade pecaminosa e nos propomos a detê-la, deixá-la de lado e ponderarmos sobre a beleza e a bondade de Jesus e sua compaixão, nós ficamos movidos e envergonhados... e ainda inspirados, instruídos e encorajados por sua absoluta benignidade.

## ◆ Refletindo o coração de Jesus

Compaixão e interesse marcaram a atitude do mestre para com os pobres, desafortunados e abatidos. Cristo também mostrou interesse pelos que ministravam ao seu lado. Nós também deveríamos ter essa compaixão equilibrada. Por exemplo: às vezes somos mais rápidas para sentir e expressar compaixão pelos desafortunados e desamparados do que pelos que são espiritualmente maduros e estão avançando na obra do Senhor. Normalmente estamos dispostas a providenciar comida, água, abrigo e dinheiro para os pobres e necessitados. Mas por que esperamos tanto daqueles que são os super-heróis da igreja, daqueles de quem esperamos que continuem avançando, para fazer o trabalho do ministério? É fácil pensar: "Ah, eles foram treinados para esse serviço. Eles foram equipados para longa jornada. Eles não são os mais fortes de todos? Eles sabiam onde estavam se metendo.

Então o que tem de mais se eles estão cansados? Todos nós estamos cansados!"

Eu sei em primeira mão, pelo tempo do meu marido no ministério, que bênção os poucos atos de compaixão eram para a nossa família. Jim dava tudo de forma plena e alegre e não esperava nada em troca. Esse tipo de compaixão concedida a ele e à nossa família aqui e ali, ao longo do caminho, por cristãos sensíveis, era vista como presente de Deus!

Você conhece algum missionário a quem possa mimar quando ele estiver em casa de licença? Você tem condição financeira para oferecer a seu pastor e à esposa dele um pernoite num bom hotel? Existe alguém na igreja que serve incessantemente e poderia fazer bom uso de um vale-presente de um restaurante, sendo recarregado e renovado ao mesmo tempo?

Para quem, hoje, você pode estender a mão em compaixão? Uma coisa pela qual oro para fazer diariamente é estar vigilante àqueles em necessidade. Nada tão dramático como um leproso, mas alguém, qualquer um, em necessidade. Tal oração me faz lembrar de portar um coração compassivo — para seguir nas pegadas de Jesus e ter compaixão uns pelos outros.

## Uma oração

*Querido Jesus,*
*Enche o meu coração com compaixão e preocupação*
*Por aqueles que precisam de ajuda ou em desespero estão.*
*Quebranta o meu coração até que eu consiga enxergar*
*Aqueles que da minha bondade podem precisar.*
*Amém.*

# dia 4
# Seguro

Você provavelmente já leu ou ouviu falar sobre pessoas que têm medo de sair de casa. Elas pedem para entregar as suas compras de mercado e outros mantimentos em casa. Nunca saem de casa, e poucas pessoas têm permissão para entrar. Tais pessoas têm uma séria fobia. "Fobia" é um medo extremo ou irracional de alguma coisa, e parece haver tantas fobias quanto pessoas que as têm. Como a maior parte das pessoas, você provavelmente tem a sua própria área de medo ou ansiedade a respeito de algum aspecto da vida. Provavelmente não chega à categoria da fobia, mas está lá. Talvez fique nervosa de falar em público, dirigir na estrada, andar de avião ou ir ao dentista. Seja o que for, você fica menos confiante para participar de qualquer coisa que tenha conexão com essa área de ansiedade.

Ler este livro pode não a curar da sua área de ansiedade, mas espero que você ganhe um pouco de discernimento quanto à questão da confiança ao relacioná-la a um entendimento bíblico da segurança.

◆ **Jesus nos mostra o caminho**

Hoje abordamos uma qualidade poderosa na vida do nosso Senhor — a segurança. É uma virtude que lhe dava ousadia e coragem para viver a vontade de Deus para a sua vida.

Você encontrará recursos incríveis para lidar com os seus desafios ao olhar através das lentes das Escrituras para a segurança de Jesus.

Ao iniciarmos, considere o significado de segurança. Uma compreensão básica dessa qualidade começa com a confiança. A segurança sugere uma sensação de certeza ao confiar em suas próprias capacidades. A pessoa "bem-sucedida" pelos seus próprios esforços tem uma confiança sólida na sua educação, destreza profissional, habilidade atlética, aparência, saúde e recursos materiais. Sua confiança em si mesma produz um estado mental ou um comportamento marcado pela tranquilidade e liberdade da incerteza, dúvida a respeito de si mesmo ou vergonha. Já que pode confiar em si mesma, ela acredita que é invencível. Em sua mente, não existe nada que não possa realizar.

Mas existe outro tipo de segurança que também é baseada na confiança. Contudo, não é uma confiança em si mesmo, mas a confiança em Deus. Quem melhor para demonstrar a segurança que vem de confiar em Deus que o filho de Deus, o Senhor Jesus? A primeira vez que observamos essa qualidade de caráter vivida de forma audaciosa em Jesus é na sua juventude.

## Eu devia estar na casa de meu Pai

Os anos da adolescência são uma idade desconfortável para a maioria das crianças. Esses adolescentes e pré-adolescentes querem muito crescer. Ainda assim, quando recebem oportunidades de assumir responsabilidades adultas, costumam voltar atrás para a sua zona de conforto. O seu desejo de ser mais semelhante aos adultos às vezes é superado por sua hesitação em amadurecer novas áreas de obrigações. O seu medo de falhar pode sufocá-los. Mas o jovem Jesus era diferente.

Ainda na idade de 12 anos, a segurança de Jesus ficou óbvia quando Maria, sua mãe, e José o *acharam no templo sentado*

*entre os doutores, ouvindo-os e fazendo perguntas. E todos os que o
ouviam ficavam admirados com sua inteligência e com suas respostas* (Lc 2.46,47). Maria e José perguntaram a Jesus por que ele
estava ali no templo. Eles o haviam procurado exaustivamen-
te pensando que ele estivesse perdido. O jovem Jesus lhes respondeu: *Por que me procuráveis? Não sabíeis que eu devia estar na
casa de meu Pai?* (v. 49).

Jesus ficou surpreso, porque Maria não compreendeu e
havia se esquecido do papel de Jesus na Divindade, que o anjo
Gabriel lhe havia claramente comunicado. Ainda com pouca
idade, Jesus tinha uma consciência aguçada da sua identidade. Aos 12 anos, mostrava confiança audaz na sua missão. Ele
já estava ocupado se preparando para o trabalho especial que
o Pai tinha para ele.

### ◆ Refletindo em seu coração

Igual à confiança do nosso Senhor no Pai, a sua confiança deve vir da sua identidade em Jesus e com Jesus. Ele
lhe tornou uma nova criação (2Co 5.17) e lhe deu um novo
começo. O seu passado foi perdoado. A lista dos seus pecados foi apagada. O seu presente está habilitado pelo
Espírito de Jesus. O seu futuro está garantido por toda a
eternidade. Você é uma com Cristo. Portanto, não há razão para ter medo de nada. Ah, você deve ter um respeito
saudável pela fragilidade da vida e a necessidade de sabedoria e de precauções de segurança. Mas não há razão
para ficar ansiosa com relação às suas atividades normais.
Lembre-se, a segurança se baseia na confiança. Se a sua
segurança para algum desafio está oscilando, talvez você
tenha perdido de vista em quem deve confiar. Confiar em
si mesma é um terreno instável. Em vez disso, confie na
rocha que é sólida, em Jesus Cristo. *Bendito o homem que
confia no* Senhor, *cuja esperança é o Senhor* (Jr 17.7).

## Não temais

Em outra cena, Jesus orou a noite inteira e então selecionou os seus discípulos para o seguirem e serem treinados para o futuro ministério (Mt 10.16-26). Jesus começou a lhes dar instruções antes de enviá-los de dois em dois para o ministério. Ele os advertiu, explicando: *Eu vos envio como ovelhas no meio de lobos* (v. 16). Discorreu então uma lista de todo tipo de coisas horríveis que poderiam lhes acontecer ao ministrarem em seu nome. Eles seriam até acusados de trabalhar para Satanás (v. 25)!

Essa não parece uma forma muito boa de instilar segurança em um grupo evangelístico recém-formado, não é mesmo? Uma conversa assim seria o suficiente para fazer a maioria das pessoas renunciar e devolver o seu distintivo de profeta! Mas Jesus queria dar a seu novo time uma visão realista do que enfrentariam. Ele lhes falou a verdade. Ele os preparou e tornou mais cientes do que realmente havia lá fora.

Mas Jesus não tinha terminado. No ápice do negativo, veio o positivo. Para assegurar que a segurança dos seus discípulos não oscilaria, ele encerrou o seu discurso animador com uma garantia do cuidado de Deus. Ele comunicou de forma clara que o mesmo Deus que cuida do insignificante passarinho certamente cuidaria deles. Então Jesus lhes disse: *Portanto, não temais; valeis mais do que muitos passarinhos* (Mt 10.31).

◆ **Refletindo em seu coração**

Deus a valoriza grandemente. Saboreie esta verdade! De fato, você é tão valiosa que ele enviou o seu único filho para morrer por você (Jo 3.16). Por causa do amor de Deus, você nunca precisa ter medo de ameaças pessoais ou duras provações. Isso deveria levá-la a ter uma perspectiva diferente sobre a sua vida. Sim, momentos de dificuldade virão, mas em vez de se acovardar de medo, tenha a segurança de confiar no seu todo-sábio e querido Pai celestial.

Os lobos estão lá fora, mas o bom pastor sabe que você é uma de suas ovelhas. Ele está sempre a postos com você e por você. Portando, "não temas".

### Creia... em mim

Caso não tenha percebido a trama, os discípulos de Jesus ficavam seguros somente enquanto estavam na sua presença. Mas quando Jesus lhes disse, durante a última ceia, que estava de partida, eles ficaram abalados até o âmago. A sua segurança caiu a uma baixa constante. Parece ser por isso que Jesus estava dizendo aos seus discípulos perturbados para não se preocuparem: *Não se perturbe o vosso coração. Crede em Deus, crede também em mim* (Jo 14.1).

Mas aqui vai uma atualização: a segurança dos discípulos retornou depois da ressurreição de Jesus e da vinda do Espírito Santo. Então seguiram em frente para virar o mundo de cabeça para baixo por Jesus.

### ◆ Refletindo em seu coração

Foi um longo processo, mas os discípulos finalmente compreenderam que tinham de depositar a confiança em Jesus. Eles entenderam que a segurança deles era válida somente tanto quanto a sua fonte. Se Jesus é o seu salvador, então você também tem esperança para o futuro. Seja o que for que aconteça de agora até a morte, não importa de fato. Por quê? Porque você depositou a sua confiança num salvador forte e poderoso que prometeu fortalecê-la todos os dias da sua vida e lhe dar um futuro no céu.

### Afasta de mim esse cálice

Jesus mostrava total determinação e segurança nos dias do seu ministério terreno. Ele combatia o assédio constante dos líderes religiosos de Israel. Combatia a imaturidade espiritual dos seus homens. Ainda assim, nunca hesitou em sua jornada rumo à cruz. Mas na noite que precedia a sua traição, provação e crucificação, Jesus lutou a sua própria batalha de prosseguir com a vontade do Pai. Como ele lutou e venceu essa batalha? Ele orou, dizendo: *Pai, se queres, afasta de mim este cálice; todavia, não seja feita a minha vontade, mas a tua* (Lc 22.42).

A segurança que Jesus buscava estava ali. O conflito havia acabado e a batalha estava vencida! A angústia de Jesus quanto à sua missão estava resolvida por meio da sua longa e agonizante oração. A sua desavença não era com a vontade do Pai, mas com a tentação de sucumbir à emoção humana do medo. A sua determinação foi restaurada e a sua missão, reafirmada.

◆ Refletindo em seu coração

Fazer a vontade de Deus deveria sempre lhe trazer segurança, porque significa que você está fazendo a coisa certa. Lamentavelmente, isso também costuma significar que você está executando as tarefas mais difíceis, os serviços mais duros. Ao fazer um levantamento dos custos, tanto físicos quanto mentais ou financeiros, você pode hesitar e pensar: "Eu não tenho certeza se quero fazer isto ou se eu consigo. O preço pode ser alto demais!" Assim como aconteceu com Jesus, há momentos em que você tem uma decisão difícil e custosa a tomar. Durante essas crises, siga o exemplo de Jesus. Leve as suas perguntas, os seus medos e a sua relutância ao Pai em oração. Reafirme sua disposição para fazer o que é certo, apesar de suas dúvidas. Então levante-se... e faça! Deus será honrado e você será abençoada conforme confiar nele e fizer a vontade dele com plena segurança.

## MAS RECEBEREIS PODER

Os discípulos frequentemente lutavam com a segurança. Talvez por sua baixa constante eles estivessem fugindo por medo depois da crucificação. Mais tarde eles voltaram e se reagruparam ao se concentrar ao redor do Senhor ressurreto. Mas ainda ficaram hesitantes e temerosos, até o momento do retorno de Jesus ao céu. Então, como impulso final de segurança, Jesus fez uma última promessa aos discípulos antes de ascender ao céu: *Mas recebereis poder quando o Espírito Santo descer sobre vós; e sereis minhas testemunhas, tanto em Jerusalém como em toda a Judeia e Samaria, e até os confins da terra* (At 1.8).

Quando essa promessa se tornou realidade e o Espírito Santo deu poder aos discípulos inseguros, eles foram completamente transformados! Pregaram as boas-novas da ressurreição de Jesus com ousadia e milhares creram. Não é surpresa o fato de os líderes religiosos se sentirem terrivelmente ameaçados, a ponto de convocarem os discípulos para um interrogatório. Eles estavam procurando alguma explicação para o poder e a segurança que os discípulos agora possuíam. E qual foi a sua conclusão? *Observando a coragem de Pedro e de João, e percebendo que eram homens simples e sem erudição, eles se admiravam; e reconheceram que eles haviam convivido com Jesus* (At 4.13).

Sabemos o que fez a diferença na atitude dos discípulos, não é mesmo? Eles passaram de covardes a confiantes porta-vozes de Cristo. Como isso aconteceu? Eles receberam o poder do Espírito Santo. Foi a segurança do Espírito Santo que lhes deu poder. *E, quando terminaram de orar, o lugar em que estavam reunidos tremeu. Todos ficaram cheios do Espírito Santo e passaram a anunciar com coragem a palavra de Deus* (At 4.31).

O apóstolo Paulo também compreendia qual era a fonte da sua segurança: *Minha linguagem e pregação não consistiram em palavras persuasivas de sabedoria, mas em demonstração do poder do Espírito* (1Co 2.4). A segurança de Paulo não estava em sua educação privilegiada, intelecto aguçado ou em sua habilidade ao falar, mas no conhecimento de que o Espírito Santo o estava impulsionando e dirigindo.

## ◆ Refletindo o coração de Jesus

Segurança é uma qualidade que todos desejam e que qualquer um pode possuir. Você pode ter aulas ou receber um treinamento especial para capacitá-la a ser mais assertiva, ousada e segura de si. Qualquer um pode se tornar mais seguro. Mas a segurança que vem de Cristo e aponta para ele como sua fonte é baseada na confiança — confiança nele.

Você está depositando toda a sua confiança em Jesus? Sua segurança está a todo vapor, ou você perdeu de vista a sua identidade com Cristo? Você está servindo à sua família, criando os seus filhos, ministrando os seus dons espirituais e sendo uma testemunha ousada com a autoridade de Cristo, com segurança? Não existe absolutamente nenhuma razão para a insegurança ou timidez. Redirecione o seu foco para Jesus. Você pode ter segurança na autoridade absoluta e ilimitada dele. Ele é tudo que você precisa para uma vida de segurança com coragem. Por quê? Porque, como ele explicou aos discípulos depois da sua ressurreição: *Toda autoridade me foi concedida no céu e na terra* (Mt 28.18). Vá... com segurança!

## Uma oração

*Obrigada, Senhor Jesus, porque me proteges, sustentas e capacitas para os meus muitos papéis e responsabilidades. Obrigada porque posso viver e servir com segurança, sabendo que estás comigo. Obrigada por minha esperança futura de habitar contigo para sempre na casa do Senhor. Grande és tu, Senhor, e digno de ser louvado! Amém.*

# dia 5
# Corajoso

Quantas situações se levantam num "dia comum" na sua vida, que causam medo, dúvida, ou falta de segurança, a ponto de dar um nó no seu estômago ou talvez até na sua garganta? Fiz a minha própria listinha de alguns dos meus dias que começaram como de costume:

- Testemunhando um adolescente e o pai dele numa briga física e verbal.
- Suportando uma viagem de avião superturbulenta.
- Furando um pneu num trecho escuro da estrada à noite.
- Enfrentando uma atuação em ministério público.
- Sofrendo algum exame médico para determinar a causa de uma doença.
- Assistindo a um neto sofrer de uma condição médica desconhecida, de longo prazo.
- Aguentando um relacionamento estressante com algum membro da família.

Deus tem três palavras para nós quando enfrentamos, suportamos ou somos surpreendidas por esses tipos de desafios: *Não tenha medo* (Js 1.9). Essas palavras foram ditas por Deus a Josué, o novo líder dos filhos de Israel, depois da morte de Moisés. De repente, Josué se viu responsável por liderar um grupo enorme de pessoas — mais de dois milhões! Não é de admirar que Deus tivesse de encorajar o seu novo líder. Josué já era um experimentado guerreiro que havia lutado muitas batalhas antes de receber a sua nova atribuição. Ainda assim, Deus gastou uma quantidade considerável de tempo reforçando a coragem de Josué e o admoestando sobre os perigos do medo (Js 1.1-9).

O medo é frequentemente visto como algo reservado aos fracos. Mas Josué, um homem experiente na guerra, não era fraco em nenhum aspecto. Deus conhecia Josué e conhece você e a mim também. Ele também sabe que somos fortes de muitas formas, mas ainda tendemos a ter os nossos próprios medos e dúvidas. Mas não se preocupe! Deus disse a Josué — e nos fala da mesma forma: *Esforça-te e sê corajoso; não tenhas medo*. Por quê? Porque *o Senhor, teu Deus, está contigo, por onde quer que andares* (Js 1.9).

## ◆ Refletindo em seu coração

O primeiro passo para ganhar coragem é compreender que o medo é natural, enquanto a presença de Deus ao seu lado, o tempo todo, é sobrenatural. Quando você se lembra dessa verdade, já começou a lutar contra os seus medos de forma vitoriosa e ganha força e coragem de coração para as tarefas — e desafios — que o Senhor lhe preparou. Você ganha força quando se lembra que Jesus prometeu estar com você quando disse: *Eu estou convosco todos os dias, até o final dos tempos* (Mt 28.20).

## ◆ Jesus nos mostra o caminho

Deus estava com Josué injetando nele coragem. Ele está com você e comigo também. Hoje consideramos uma qualidade de caráter poderosa que novamente foi perfeitamente exemplificada por Jesus a nós. Jesus era corajoso, porque sabia que estava nas mãos fiéis do Pai. O medo nunca foi uma questão para Jesus, porque ele confiava no cronograma do Pai para a sua vida. Este capítulo — e essa qualidade — é tanto sobre confiança quanto sobre bravura. Se confiarmos que Deus nos guiará e protegerá, então Jesus fornecerá a força e a coragem que precisamos para passar pelos desafios da vida.

- quando a sua fé é posta à prova;
- quando você tem que cuidar da família enquanto o seu marido viaja a serviço;
- quando você tem um filho desobediente;
- quando você ou algum ente querido está enfrentando uma doença muito grave ou se acha à beira da morte.

Jesus foi descrito como *homem de dores* em Isaías 53.3 por causa dos muitos fardos e sofrimentos que suportou durante o seu tempo na terra. Ele foi exposto aos mesmos tipos de situações potencialmente voláteis a que somos expostos hoje e foi vitorioso. É por isso que Jesus é o maior modelo a quem devemos recorrer, observar e imitar.

Como mulheres, temos muitos fardos para carregar. Em adição a isso, vivemos num mundo que é repleto de sofrimento e costuma ser assustador. Somos colocadas em situações onde temos que escolher se vamos resistir, falar ou viver à altura do nosso chamado cristão... ou não. Mas a boa notícia é que Jesus nos oferece sua coragem para o nosso viver diário. Tenha em mente ao ler mais adiante que coragem é bravura. É o poder para fazer algo diante do medo. É também a capacidade de seguir as suas convicções, a despeito do perigo ou da desilusão. A coragem também lhe dá grande força diante da dor ou da tristeza.

## Ele expulsou todos do pátio do templo

Jesus falou a respeito da humildade, dizendo: *Bem-aventurados os humildes, pois herdarão a terra* (Mt 5.5). Ele também se descreveu como *manso e humilde de coração* (Mt 11.29). Ainda assim, quando Jesus viu os cambistas no templo, *fez então um chicote de cordas e expulsou todos do pátio do templo* [...] *e esparramou o dinheiro dos cambistas, e revirou as suas mesas. E disse* [...] *não façais da casa de meu Pai um mercado* (Jo 2.15,16).

É verdade que Deus quer que nós, como suas filhas, tenhamos *um espírito gentil e tranquilo* (1Pe 3.4). Essa atitude agradável a Deus deveria ser o nosso desejo constante. Em condições normais ao vivermos nossos dias, a humildade e um espírito tranquilo deveriam ser a nossa conduta. Ao ler os evangelhos, você vê Jesus vivendo com o mesmo espírito tranquilo, sem pressa, relaxado até em meio ao caos diário. Mas há ocasiões em que lemos que Jesus confrontou os hipócritas religiosos, desafiou tradições humanas, defendeu pecadores e denunciou o fanatismo religioso.

Quando Jesus purificou o templo e confrontou os seus líderes, estava irado porque aqueles que tinham vindo adorar na casa de Deus estavam sendo explorados. Ele tinha uma questão com a forma como os líderes e mercadores estavam abusando do nome de Deus, da casa de Deus e do povo de Deus. Ele agiu de forma ousada com indignação justa, por causa da sua autoridade como filho de Deus.

Em circunstâncias normais, queremos exibir a mesma humildade e o mesmo espírito tranquilo, demonstrados por Jesus. Contudo, podem vir momentos em que nós, como ele, precisamos ser ousadas e corajosas para falar. Talvez seja uma questão com a escola de seus filhos ou com o currículo da igreja. Ou talvez seja a pessoa que está fazendo afirmações falsas e ignorantes a respeito da Bíblia ou de Jesus. Ou talvez algum tipo de abuso que está ocorrendo e você deve confrontar a pessoa ou avisar às autoridades. Esses são os momentos em que você precisa reunir coragem para resistir ou falar pelo que é certo.

Mas aqui vai um aviso: Você não deve usar o exemplo de Jesus de ira justa para justificar as suas próprias emoções egoístas e a sua ira. É certo ficar irritada com as injustiças e o pecado, mas é errado ficar brava pelas ofensas comuns ou suas questões de foro pessoal. É certo falar quando o caráter de Deus é difamado, mas você não deve reagir com ódio ou violência. Devemos obedecer aos governantes e usar os meios legais para mostrar o nosso descontentamento com as práticas ilegais ou maldosas à nossa volta e em nossa comunidade.

## ELE VENCEU O MUNDO

Na noite anterior à sua morte, Jesus preparou os seus discípulos para as provações que sabia que enfrentariam. Jesus a tranquiliza quanto à preocupação dele por você da mesma forma como tranquilizou os doze. Quando os momentos difíceis vierem — e eles virão —, ele será por você... e com você. Quando você confiar no Senhor, ele verterá sobre você a coragem e a força dele. Ele a sustentará em todo e qualquer problema, porque é mais poderoso que qualquer situação com a qual você possa um dia se deparar. É como ele disse aos discípulos: *Eu vos tenho dito essas coisas para que tenhais paz em mim. No mundo tereis tribulações; mas não vos desanimeis! Eu venci o mundo* (Jo 16.33).

Jesus estava deixando esse bando de homens. Por três anos, juntos desfrutaram de comunhão constante. Ainda que tivesse avisado anteriormente sobre sua partida, quando a "tribulação" chegou na forma de prisão, julgamento e a cruz, qualquer coragem que uma vez tivessem tido se desfez. Por medo, eles desertaram e o negaram. Somente depois de Jesus ressuscitar dos mortos e serem cheios do Espírito que a coragem se tornou uma força dominante na vida dos discípulos.

## ◆ Refletindo em seu coração

Algum dia — talvez hoje mesmo — você precisará de coragem para as tribulações que Jesus disse que apareceriam no seu caminho. Ele a encoraja nesses momentos a ser valente e confiar na sua promessa: *Eu venci o mundo*. Isso significa que ele estará com você e proverá toda a coragem que precisar para o momento.

### A ALMA DELE ESTAVA MUITO TRISTE

Como você já leu, Jesus estava preparando os discípulos para a sua morte. Finalmente o tempo da sua morte estava próximo. O que havia sido planejado na eternidade passada estava prestes a se tornar realidade. Como em tudo, Jesus orou. Ele estava em grande angústia porque se aproximavam a sua dor física, sua separação do Pai e sua morte pelos pecados do mundo. O curso divino estava estabelecido, mas o filho de Deus, em sua natureza humana, ainda sofria, tanto que *o seu suor tornou-se como gotas de sangue, que caíam no chão*, conforme proferia: *A minha alma está tão triste que estou a ponto de morrer* (Lc 22.44; Mt 26.38). Jesus lutava com a angústia de ter que tomar o cálice cheio da fúria divina do Pai contra o pecado. Mas com a coragem da determinação divina, orou: *Meu Pai, se possível, afasta de mim este cálice; todavia, não seja como eu quero, mas como tu queres* (v. 39).

Obviamente nunca será requerido de você ou de mim o mesmo nível de coragem e determinação que foi necessário para Jesus tomar o cálice da ira de Deus contra o pecado. Mas em nossas próprias dificuldades em nossa própria esfera, também enfrentamos momentos de grande provação de corpo e espírito. Como Jesus, queremos que "esse cálice", seja qual for, passe de nós. A dor e a angústia parecem grandes demais para suportar! Mas também como Jesus, queremos glorificar a Deus e refletir o forte caráter de Jesus em nossas provações. Então, com coração quebrantado e mãos trêmulas, rendamos a nossa própria oração de "não seja como eu quero, mas como tu queres" ao nosso todo-sábio, soberano e bondoso Pai.

### OUTROS QUE NOS MOSTRAM O CAMINHO

A maioria das pessoas gasta a vida inteira construindo a sua reputação. A reputação é extremamente importante, e assim deveria ser para nós como cristãs. Mas você estaria disposta a perder tudo pelo que trabalhou se isso significasse resistir e fazer a coisa certa para mostrar o seu amor por Jesus e a sua lealdade àquele que morreu por você? Veja agora vários exemplos de coragem daqueles que correram riscos para seguir Jesus.

### AS MULHERES NA CRUZ

Há algumas mulheres da Bíblia que simplesmente não me canso de destacar, porque foram tão corajosas em sua fidelidade a Jesus, não importando o que acontecesse. Prepare-se — você se encontrará com elas novamente neste livro. São as mulheres que ficaram com Jesus enquanto ele esteve na cruz. Elas fizeram a coisa certa, apesar dos riscos e da possibilidade de serem feridas corporalmente e criticadas pelos outros.

Você consegue imaginar a cena? O céu ficou escuro ainda sendo dia. Houve terremotos, com rochas se partindo e tumbas se abrindo e muitos dos salvos do passado, que já haviam morrido, se levantando de seus túmulos. Foi uma visão tão assustadora que até os experientes soldados romanos *ficaram aterrorizados* (Mt 27.54). E todos, menos um, os discípulos de Jesus fugiram dessa cena horripilante. Ainda assim, em meio a esses acontecimentos terríveis e perigosos, vemos que *muitas mulheres, que haviam seguido Jesus desde a Galileia para ouvi-lo, também estavam ali, olhando de longe* (v. 55).

Essas senhoras foram verdadeiramente corajosas quando os outros temeram e correram para poupar sua vida. "Por que", você deve estar se perguntando, "elas foram tão destemidas?" A resposta é o amor — o amor por Jesus. O seu amor era tão grande e sua fé era tão forte que derrotaram os seus medos, e elas agiram com coragem.

## ◆ Refletindo em seu coração

A fé em Jesus é sempre o antídoto para o medo. Nossa coragem para derrotar os medos da morte, do sofrimento, da perda ou da tragédia encontra força em Jesus. Então, novamente, quando chegarem as provações, quaisquer que sejam elas, recorra a Jesus. Permita que ele e a sua presença substituam os seus medos pela coragem dele. E conte com o seu amor. "O fio de prata do amor de Deus está entrelaçado em cada uma de nossas provações" (tradução livre).[1]

Felizmente, as nossas oportunidades de exibir coragem geralmente não envolvem perigo. Mas o medo é sempre um elemento no sofrimento e na dor. É por isso que o exemplo dessas mulheres é realmente marcante. A solução e a aplicação da coragem delas é a mesma para nós. A fé que tinham em Deus as capacitou com a bravura que precisavam para enfrentar o perigo ao se identificarem com o seu salvador. Elas estavam dispostas a resistir por Jesus e servir a ele até o fim. Você está pronta para assumir esse tipo de compromisso? Você sempre pode orar a Deus para fortalecer a sua confiança nele e aprofundar o seu amor por Jesus. Faça-o diariamente para ter coragem de viver para Jesus todos os dias.

---

[1] DeHaan, M. R. e Bosch, Henry G. *Our daily bread* (Grand Rapids, Zondervan, 1982), 14 de junho.

## O HOMEM QUE PEDIU O CORPO DE JESUS

José de Arimateia — Outra pessoa que encontrou força e coragem em Jesus foi José de Arimateia. Ele era um membro proeminente do conselho que julgou Jesus e o condenou à morte. José, no entanto, não consentiu com a decisão do conselho (Lc 23.50,51). Depois de testemunhar a horrível tragédia da morte injusta de Jesus, ele, junto com Nicodemos, também um governante dos judeus (Jo 3.1), decidiu dar um passo à frente e mostrar a sua lealdade cuidando do sepultamento de Jesus (Jo 19.38-42). Eles estavam dispostos a — o que provavelmente aconteceu — perder toda a credibilidade com os outros líderes religiosos do país por causa dos seus atos.

José e Nicodemos foram crentes secretos... até certo momento. Mas nunca mais! Eles ergueram a cabeça, tomaram o controle da situação, aguentaram firme, levantaram a voz e tomaram a frente para cuidar do corpo e do sepultamento de Jesus. Lembre-se do exemplo deles e das palavras de Deus a Josué: *Esforça-te e sê corajoso; não tenhas medo* (Js 1.9).

## ◆ Refletindo o coração de Jesus

Jesus anunciou que *no mundo tereis tribulações; mas não vos desanimeis! Eu venci o mundo* (Jo 16.33). Ele foi além para exortar os seus seguidores — incluindo você — a não se preocupar, porque ele estará com você. Este fato, verdade e promessa, tudo envolto num só, deveria corroborar a sua coragem.

Mesmo que alguma tragédia, algum desastre ou choque a atinjam durante o seu dia, que o seu coração desfaleça e você sinta que a sua vida está dando voltas, e que a perplexidade tome conta, você nunca está sozinha. Jesus está sempre com você e nunca a abandonará, apesar das lutas que passará. É como ele disse aos discípulos antes de deixá-los: *Eu estou convosco todos os dias, até o final dos tempos* (Mt 28.20). O seu salvador precioso e onipotente seguirá com você por todo o caminho em cada provação... e por toda a sua vida. A forma mais efetiva e poderosa pela qual você pode refletir o coração de Jesus é confiar-se às mãos capazes dele. Permita que a segurança dele derrame sobre você coragem para enfrentar a vida de forma ousada ao viver em Jesus Cristo e por ele. Você pode viver com coragem ao confiar nele, mesmo nos piores momentos, porque a sua vitória final já foi conquistada por Cristo.

## Uma oração

*Senhor Jesus, agradeço porque estás ao meu lado agora e em todos os momentos. Ajuda-me a recordar a tua poderosa presença quando eu precisar ser corajosa e viver com ousadia como mulher cristã, levantar a voz quando for a coisa certa a fazer e aguentar firme em meio às dificuldades. Amém.*

## dia 6

# Disciplinado

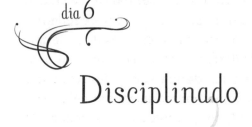

Eu não acredito! Meu marido Jim usa o mesmo número de calça que ele usava no ensino médio! Você conhece alguém assim? (E isso a deixa louca?!) Alguns seres parecem ser abençoados de poder comer qualquer coisa que quiserem, a qualquer hora. Mas, olhando mais de perto, fica evidente que na maioria dos casos essas pessoas com tudo no lugar têm um segredo: elas são disciplinadas. Por exemplo: o meu Jim malha com pesos, corre ou caminha uma hora por dia, pesa-se diariamente e analisa o que come. Com algumas poucas exceções, a maior parte das pessoas que não parecem ter problema com o peso está se certificando de que isso não se torne um problema, nutrindo e mantendo um estilo de vida disciplinado.

Agora, deixe-me rapidamente dizer que estou mencionando a questão do peso somente porque é um problema pessoal e um objetivo meu. Eu também poderia facilmente apontar a fofoca, as emoções inconstantes ou os atrasos crônicos como áreas que requerem disciplina. Mas a maioria das minhas amigas e das mulheres que conheço tem dificuldade com o peso. Na verdade, há provas que esse é um problema para a maior parte das pessoas na América. O Ministério da Saúde considera o peso excessivo e a obesidade o problema de saúde número um atualmente nos Estados Unidos. Então o que podemos fazer? Como se pode ter vitória nessa e em todas as áreas da vida?

### ◆ Jesus nos mostra o caminho

Quem você acha que foi a pessoa mais disciplinada que já viveu? O título da seção acima — e o foco deste livro — já deu a resposta, não é mesmo? É Jesus. Sendo Deus encarnado, Jesus estava no controle completo a todo momento. Ele nunca permitiu que a sua boca, as suas emoções ou necessidades físicas o derrotassem. Hoje vamos verificar isso enquanto olhamos para Jesus em toda a sua disciplina e o seu domínio próprio perfeitos, ainda que humanos.

Ao penetrarmos nessa qualidade extremamente importante e difícil de obter, considere o significado de "disciplina". Quando mencionada como fruto do Espírito, disciplina ou domínio próprio tem relação com refrear os impulsos carnais (Gl 5.22,23). Na sociedade contemporânea, o significado geral da palavra é "moderado". Na década de 1920, era costume comunicar a ideia da moderação com relação ao álcool. Hoje, "disciplina" pode descrever tudo, desde viver por um programa até limpar a sua casa. (Recentemente li um artigo que relatava que as pessoas que são disciplinadas fisicamente têm mais tendência de ter uma casa arrumada.) Contudo, a pessoa disciplinada é capaz de dominar, controlar, refrear ou restringir certos comportamentos.

### Está escrito...

Assim como em cada virtude, lembre-se que Jesus era Deus, ainda que fosse humano, possuindo duas naturezas que nunca se mesclavam. Como humano, Jesus se tornou o que a Bíblia se refere como "último" ou segundo Adão (1Co 15.45). O primeiro Adão era sem pecado até cair em pecado. O segundo Adão, Jesus, foi enviado pelo Espírito para o deserto para ser tentado e atestado como Messias, o salvador (Mt 4.1-11). Lá ele foi implacavelmente tentado pelo diabo por quarenta dias e quarenta noites enquanto sofria de sede, fome e solidão.

Ainda assim, Jesus não se rendeu às tentativas do diabo de fazer que ele parasse de confiar em Deus para as suas necessidades. Jesus permaneceu fiel a Deus e combateu as tentações replicando: *Está escrito...* (v. 4,7,10). Em cada sedução, a defesa de Jesus contra os ataques do diabo foram as Escrituras. Como Deus, Jesus não poderia pecar, mas as tentações ainda eram reais. Para ele, o teste era necessário para validar a sua messianidade. O exemplo de Jesus nos mostra o caminho para atingir a disciplina.

- ◆ Recorra a Jesus como exemplo: *Porque não temos um sumo sacerdote que não possa compadecer-se das nossas fraquezas, mas alguém que, à nossa semelhança, foi tentado em todas as coisas, porém sem pecado* (Hb 4.15).
- ◆ Recorra a Jesus para receber ajuda: *Porque naquilo que ele mesmo sofreu, ao ser tentado, pode socorrer os que estão sendo tentados* (Hb 2.18).
- ◆ Recorra a Jesus através da oração: *Aproximemo-nos com confiança do trono da graça, para que recebamos misericórdia e encontremos graça, a fim de sermos socorridos no momento oportuno* (Hb 4.16).

### ◆ Refletindo em seu coração

Você também enfrenta batalhas espirituais perigosas e intensas. Quando está debaixo de algum tipo de pressão no trabalho ou em casa, sofrendo por alguma perda ou doença, ou até quando simplesmente não se sente bem, você corre grande risco de um ataque espiritual. Muitas dessas tentações vêm quando você está sozinha, sem ninguém por perto para ajudar. Mas crie coragem. Você pode apelar para Deus. Você pode ter acesso ao poder e à palavra poderosa dele para a disciplina, o domínio próprio e a munição que precisa para enfrentar a tentação e ser vitoriosa.

### ELE SAIU E FOI PARA UM LUGAR DESERTO

É difícil manter disciplina de qualquer tipo e para qualquer propósito. Mas parece (pelo menos para mim) que as disciplinas espirituais são as mais difíceis de sustentar. Luto constantemente com a fidelidade de gastar tempo em oração e na Palavra de Deus. Mas Jesus nos mostra o caminho para nutrir essas duas disciplinas espirituais... até no detalhe de hora e lugar!

Cena 1 — Nessa cena da vida de Jesus, tenha em mente que ele não estava de férias ou num retiro espiritual, com tempo para matar ou preencher. Você pode reconhecer Marcos 1.21-34 como a passagem que descreve um dos dias mais ocupados na vida ministerial de Jesus. Ele tinha feito de tudo, ensinado na sinagoga e curado praticamente todas as pessoas da região. Mas, em vez de tirar o dia seguinte de folga, Marcos relata que *de madrugada, ainda bem escuro, Jesus levantou-se, saiu e foi a um lugar deserto; e ali começou a orar* (v. 35). Jesus se levantou cedo, antes dos discípulos, e dirigiu-se, secretamente, para um lugar sossegado, a fim de orar. Ele decidiu se disciplinar e fazer o que pensava ser mais importante: ter comunhão com o Pai.

A Bíblia não diz quanto tempo Jesus orou, mas que logo seria bombardeado com as necessidades permanentes das pessoas com que havia estado no dia anterior. Enquanto Jesus estava orando, *Simão e os seus companheiros saíram para procurá-lo e, quando o encontraram, disseram-lhe: Todos te procuram* (Mc 1.36,37).

A Bíblia também não nos dá o conteúdo da oração de Jesus, mas parece que ele estava buscando direção para o novo dia. Os discípulos, todavia, queriam capitalizar os resultados positivos do ministério do dia anterior, e por que não? Por que não desfrutar e estender o sucesso daquele dia? Mas Jesus recebeu outras ordens enquanto orava, pois *Jesus lhes respondeu: Vamos a outros lugares, aos povoados vizinhos, para que também eu pregue ali, pois foi para isso que vim* (v. 38).

Enquanto Jesus buscava o Pai em oração, recebeu orientação sobre como gastar o dia à sua frente. Além disso, Jesus era disciplinado e não se permitia desviar da sua missão. Uma mensagem-chave dessa passagem da Bíblia é que você deve buscar se disciplinar e não se distrair com o que está acontecendo à sua volta. Se você crê que Deus a está guiando em certa direção, fique focada e se mantenha nessa direção.

## ◆ Refletindo em seu coração

A maior parte dos crentes depara com uma longa lista de dificuldades quando o assunto é manter as disciplinas da oração e da leitura da Bíblia. Mas Jesus nos mostra o caminho para assegurar que essas duas disciplinas espirituais façam parte de cada dia. Primeiro e mais importante, ele *desejava* se comunicar com o Pai. Ele almejava descobrir e cumprir a sua vontade. Isso era primordial. Portanto, ele se *disciplinou* e se levantou. Não tinha ninguém para acordá-lo. Apesar disso, ele fez o esforço de se levantar e ir a algum lugar para orar. Foi uma escolha dele. E ele sabia que era suficientemente importante para merecer que ele se levantasse antes de todos os outros, antes de amanhecer, para orar. Conservar as disciplinas espirituais é uma escolha. Você escolhe fazer o que acredita ser importante. A oração era importante para Jesus. Portanto ele orava. É como um ditado nos faz lembrar: "A oração é a chave da manhã e a tranca da noite". Use a chave confiável da oração para começar o seu dia com o Pai e colocar-se na rota dele. Então encerre o seu dia da mesma forma e *em paz se deite e durma* (Sl 4.8).

## ELE REPREENDEU-OS

Cena 2 — Jesus estava a caminho de Jerusalém para cumprir o objetivo máximo da sua missão: morrer como sacrifício pelo pecado (Lc 9.53-56). A rota mais direta era por Samaria. Existia uma briga de longa data entre os judeus e os samaritanos e, normalmente, os viajantes judeus evitavam passar por Samaria a todo custo. Mas nessa ocasião Jesus levou os seus discípulos por Samaria. Dada a animosidade entre os dois povos, não é de admirar que Jesus e os seus homens não tenham recebido uma recepção cordial.

Quando os irmãos Tiago e João ouviram que a vila dos samaritanos havia se recusado a oferecer a hospitalidade básica a Jesus e seus companheiros discípulos, ficaram furiosos. Imediatamente perguntaram: *Senhor, queres que mandemos descer fogo do céu para os consumir?* (Lc 9.54). Não tenho certeza se eles poderiam realmente ter mandado descer fogo ou não, mas a escolha de palavras revela a atitude deles. Eles estavam tão furiosos que, se tivessem o poder, poderiam ter seguido em frente e destruído a vila inteira. Esses irmãos amavam Jesus e queriam vingar a afronta contra ele. Qual foi a resposta de Jesus à sugestão deles? *Ele, porém, voltando-se, repreendeu-os: Vós não sabeis de que espírito sois* (v. 55).

◆ Refletindo em seu coração

Como você reage à rejeição? E de que espírito você é quando é esnobada? Você entra numa montanha-russa de emoções (como Tiago e João)? Ou busca controlar as suas emoções? Ao caminhar pelo Espírito de Jesus, você será capaz de se controlar e seguir o modelo de Jesus e o seu domínio próprio.

## ◆ Outros nos mostram o caminho

Existem pessoas aos montes na Bíblia que eu poderia destacar para ilustrar a disciplina... ou a falta dela. Mas, como mulher, sempre olho primeiro para as mulheres da Bíblia. Conheça duas delas agora. Estou certa de que você verá um pouco de si mesma em cada uma e talvez receba alguns indicadores para quaisquer mudanças que precisa fazer.

### BENDITO SEJA O TEU CONSELHO

Abigail nos mostra um exemplo de disciplina. Ela era, em todos os aspectos, uma mulher incrível. (Você pode ler a seu respeito em 1Samuel 25.) Num momento em que todos os outros estavam fora de controle, Abigail demonstrou o impacto poderoso que uma mulher pode ter quando mostra disciplina em áreas-chave da vida. Em forte contraste, o marido de Abigail, Nabal, era arrogante, tolo e beberrão. Davi, o futuro rei de Israel, tinha acabado de reagir com raiva quando Nabal recusou lhe dar pagamento pela proteção da sua propriedade.

Em meio a essa cena explosiva, Abigail reagiu com fala e comportamento disciplinados. Ela demonstrou grande sabedoria e domínio próprio. Ela interveio e apaziguou a ira de Davi e evitou uma situação de ameaça de morte e potencial banho de sangue. Este é o elogio de Davi a Abigail: *Bendito seja o SENHOR, Deus de Israel, que hoje te enviou ao meu encontro! E bendito seja o teu conselho, e bendita sejas tu, que hoje me impediste de derramar sangue e de vingar-me com minhas próprias mãos!* (1Sm 25.32,33).

### TOMOU DO SEU FRUTO, COMEU

Eva nos mostra um exemplo de falta de disciplina. Lamentavelmente os exemplos negativos costumam ser úteis para nos ensinar como não nos comportar! E quem diria que o nosso exemplo negativo é Eva, a primeira mulher que falhou no departamento da disciplina. No que dizia respeito à tentação para pecar, ela era fraca, obstinada e arbitrária. (Consulte Gênesis 3, como toda a história triste.) Quando Eva deparou com a serpente, ouviu demais as suas mentiras. Também falou demais com essa mestra enganadora. Desejou demais quando lhe foi oferecido o fruto proibido. Então *tomou do seu fruto e o comeu* (Gn 3.6).

Em contrapartida ao "demais", Eva buscou conselho de menos de Deus e do seu marido. Em lugar de viver o plano de Deus para a sua vida, Eva se jogou de cabeça no pecado em todas as frentes. Em lugar de disciplinar a sua boca, sua mente e o seu corpo, ela agiu de forma pecaminosa e tola. Os seus atos obstinados — junto com os de Adão — mergulharam a humanidade no pecado. Somente a intervenção de Deus em enviar o seu único filho, o Senhor Jesus, poderia desfazer o que a falta de disciplina dela causou.

### ◆ Coisas para lembrar sobre a disciplina

- *A disciplina é uma questão espiritual* — O domínio próprio é uma manifestação do Espírito de Jesus trabalhando em você (Gl 5.22,23).
- *A disciplina é afetada pela desobediência* — A desobediência entristece e apaga o poder do fruto do Espírito do domínio próprio em você (Ef 4.30; 1Ts 5.19).
- *A disciplina é um ato de vontade* — O Espírito Santo não a forçará a ser disciplinada. Você decide se vai ou não andar no Espírito. O Espírito de Jesus, entretanto, provoca, move, imprime e convence do erro (Jo 16.8), mas ele não a forçará a viver uma vida piedosa.

A disciplina envolve a mulher por inteiro:
- *Suas emoções — Como uma cidade destruída e sem muros, assim é o homem que não pode conter-se* (Pv 25.28).

64 UMA MULHER QUE REFLETE O CORAÇÃO DE JESUS

- *Sua boca* — *Quando se cala, até o tolo passa por sábio, e o que fecha os lábios, é visto como homem de entendimento* (Pv 17.28).
- *Sua alimentação* — *Põe uma faca em tua garganta, se fores homem* [mulher] *de muito apetite* (Pv 23.2).
- *Sua diligência* — *Não ames o sono, para que não empobreças; abre teus olhos e terás fartura de alimento* (Pv 20.13).

## ◆ Refletindo o coração de Jesus

Está na hora de se olhar no espelho. Ao parar para considerar o seu coração, pergunte: "Eu quero que a minha vida faça diferença? Eu quero viver para Deus? Eu desejo influenciar de forma positiva a minha família, o meu círculo de amizades, a minha igreja, o meu trabalho e a minha comunidade?" Se sim, a resposta e o caminho são seguir o exemplo de Jesus e viver uma vida mais disciplinada. Para refletir Jesus e viver os propósitos dele, abrace a disciplina como elemento essencial. Não seja como Eva, que falhou em seguir Deus, por causa da falta de domínio próprio. Siga o excelente exemplo de Abigail de disciplina tanto em palavra como em ação. Aí você se tornará um modelo vivo do comportamento disciplinado que o seu salvador exibia.

### Uma oração

*Senhor Jesus, quero ser mais disciplinada, viver sob o controle do Espírito. Que eu busque viver uma vida pura, ser dedicada a andar no teu Espírito com domínio próprio. Que a disciplina se torne uma qualidade reinante na minha vida para que tu sejas glorificado. Amém.*

# dia 7
## Fiel

Sempre admirei as mulheres que seguiram Jesus na sua última jornada da Galileia para Jerusalém. Estudei suas histórias, ficando maravilhada com a proximidade e a familiaridade que tinham com o meu salvador a quem anseio ver. Esse grupo leal de senhoras viajou com Jesus em muitas ocasiões e o sustentou de várias formas. Elas estavam presentes com Jesus até no dia da sua crucificação e morte.

Você consegue ao menos imaginar como foi aquele último dia da vida de Jesus? Foi o dia mais horrível que já existiu na terra. Ainda assim essas mulheres queridas foram vistas ao pé da cruz. Elas experimentaram a escuridão fora do comum que ocorreu (Lc 23.44) e testemunharam a agonia do sofrimento de Jesus, junto com a zombaria, o escárnio e a selvageria dos soldados, todos dirigidos ao amável, inocente filho de Deus.

Parece que todo o tratamento horrível, brutal e desumano era mais que uma pessoa poderia suportar. Bem, temos por certo que os discípulos não conseguiram lidar com isso! Todos fugiram... exceto João. Mas essas mulheres não se moveram. Na verdade, depois da morte de Jesus foram até a tumba dele para se assegurar de que ele receberia um sepultamento apropriado, somente para encontrar a tumba vazia. Nada — repito, *nada* — impediu que essas senhoras cumprissem o que consideravam ser o seu dever fiel para um amigo, para Jesus.

Ao iniciarmos outro dia de pesquisa sobre a vida e o coração de Jesus e as qualidades que ele exibia de forma consistente, chegamos à fidelidade — a virtude da lealdade, de ser leal e confiável. E que exemplo poderoso de fidelidade vemos exposto no pequeno grupo de mulheres que conhecia e servia ao filho de Deus.

Onde essas senhoras encontravam força e coragem para serem tão leais e fiéis, especialmente sob circunstâncias tão adversas? Elas seguiam Jesus há algum tempo, observando a sua vida íntima e pessoal, inclusive essa qualidade da fidelidade vivenciada nele. Elas o seguiram de forma física... e seguiram o seu exemplo de fidelidade a ponto de também se tornarem fiéis em seu serviço e sustento ao seu ministério até o fim, em qualquer situação (Lc 8.3). Em última instância, a sua fidelidade as capacitou a acompanharem-no até a cruz e muito mais!

Com a lembrança dessas mulheres notáveis fresca na sua mente, considere a "fidelidade" e como ela se desenvolve. Antes de olharmos para como Jesus nos mostra o caminho, considere a fidelidade do Pai. Você não pode deixar de perceber já nas primeiras páginas da sua Bíblia:

- Ele foi fiel ao providenciar roupas para Adão e Eva depois da desobediência deles (Gn 3.21).
- Ele foi fiel ao prometer um salvador (Gn 3.15).
- Ele foi fiel ao expandir a sua promessa inicial de enviar um salvador (Is 9.6).
- Ele foi fiel ao cumprir a sua promessa quando Jesus, o Deus-homem, o único filho de Deus, nasceu como salvador (Lc 2.11).
- Ele foi fiel fornecendo um modelo divino da sua própria natureza por meio da vida e do ministério de Jesus ao caminhar entre nós como Deus em carne humana (Jo 1.14).

### ◆ Jesus nos mostra o caminho

Seguindo os santos passos do Pai, a vida de Jesus na terra nos dá um exemplo de fidelidade em primeira mão.

## EU COMPLETEI A OBRA

Jesus foi fiel ao propósito de Deus. Ele veio à terra com um propósito, declarando: *A minha comida é fazer a vontade daquele que me enviou e completar a sua obra* (Jo 4.34). A obra de Jesus era viver e morrer como sacrifício perfeito pelo pecado do homem. Mas conforme Jesus saía por toda parte fazendo o bem e alimentando as multidões que o seguiam de lugar em lugar, uma onda se formou. O povo tinha em mente um propósito diferente para Jesus, especialmente depois de testemunhar quando ele alimentou mais de cinco mil homens e possivelmente suas famílias. Eles queriam que ele fosse o seu líder e lhes providenciasse comida regularmente (Jo 6.26).

Mas, a despeito das distrações e dos apelos do povo, Jesus permaneceu fiel ao plano de Deus e o definiu ao povo, dizendo: *Pois desci do céu,* não para fazer a minha vontade [ou, a propósito, a vontade do povo], *mas a daquele que me enviou. E a vontade daquele que me enviou é esta: que eu não perca nenhum de todos os que me deu, mas que eu o ressuscite no último dia* (Jo 6.38,39).

Até o fim, dia após dia Jesus seguiu fielmente em direção ao objetivo que havia sido estabelecido diante dele pelo Pai. Ele declarou ao Pai a sua avaliação final de sua missão numa oração feita na véspera da sua morte: *Eu te glorifiquei na terra, completando a obra da qual me encarregaste* (Jo 17.4).

Eu não sei você, mas é extremamente fácil me distrair do chamado de Deus para a minha vida. Essa pessoa quer que eu faça isso, outra quer que eu faça aquilo. Sou puxada para todos os lados de uma vez! E ainda há aqueles dias em que não estou certa se quero mesmo fazer *alguma coisa!* Você já se sentiu assim? Bem, talvez a razão para as distrações e a falta de orientação seja que não sabemos qual o nosso verdadeiro propósito na vida... ou já faz algum tempo que não o revisamos. Portanto, nos surpreendemos tentando abraçar o mundo inteiro de uma vez — ou não fazendo nada!

O que Deus quer que você e eu façamos com a nossa vida? Se você não tem uma boa compreensão a esse respeito, ou nem a menor ideia, leia Tito 2.3-5 para obter algumas dicas. Como esses versículos sugerem, é útil procurar uma mulher mais velha para lhe dar algum conselho, direção e assisti-la em clarear e polir o propósito de Deus para você.

### ◆ Refletindo em seu coração

Você pode já estar prosseguindo no propósito de Deus, mas, como sequência, talvez também devesse se perguntar: "Eu estou servindo fielmente às pessoas no meu caminho que fazem parte do meu propósito — a minha família, minha igreja, os meus colegas de trabalho e conhecidos? Estou disposta a seguir nas pegadas fiéis de Jesus e fazer os sacrifícios que a fidelidade requer?" O crescimento na semelhança com Cristo a aguarda no outro lado dessas perguntas e ações.

#### ORAR SEMPRE E NUNCA DESANIMAR

Jesus também foi fiel na oração. Um dos aspectos mais incríveis da encarnação de Jesus, a sua vinda como homem, é o fato de que ele se submeteu de forma voluntária ao controle do Espírito Santo. A oração foi um agente-chave pelo qual ele se comunicava com o Pai e recebia direção. Jesus vivia em espírito de oração. Ele conseguia estar a sós com o Pai em meio à opressora multidão ou sem nem uma pessoa sequer num lugar afastado. A oração era a sua vida, o seu hábito. Ele orava em cada situação, cada emergência e em cada oportunidade por todas as questões. Por exemplo:

- Ele orou em meio a uma vida ocupada. A maioria das pessoas fica estressada sob a pressão de uma vida ocupada. Mas não o nosso Senhor. Ele tinha outra forma de lidar com a pressão de um dia agitado após o outro. Qual era o seu segredo? Depois de um dia de ministério enormemente bem-sucedido — e sobrecarregado —, vemos que na manhã seguinte, em vez de comemorar o seu sucesso, Jesus se levantou *de madrugada, ainda bem escuro, [...] saiu e foi a um lugar deserto; e ali começou a orar* (Mc 1.35).
- Ele orou antes e durante eventos importantes, particularmente sua morte iminente na cruz (Mt 26.39-42).
- Ele orou pelos outros. A intercessão pelos outros era uma característica dominante em suas orações. (Para obter um exemplo divino, leia a "Oração intercessora de Jesus" em João 17.)
- Ele orou em favor dos seus inimigos: *Pai, perdoa-lhes, pois não sabem o que fazem* (Lc 23.34).

Você não conseguirá ler muito dos evangelhos sem sentir a importância da oração na vida de Jesus. Ele ensinava fielmente a todos que ouviam sobre o *dever de orar sempre e nunca desanimar* (Lc 18.1). O seu comprometimento com a fidelidade na oração nos chama a nutrir o hábito da oração de forma diligente e intencional.

### ENQUANTO EU ESTAVA COM ELES, EU OS GUARDEI

Jesus era fiel aos seus discípulos também. A lealdade é uma qualidade rara tanto hoje como nos dias de Jesus. Os discípulos de Jesus eram homens simples — pescadores em sua maioria. Eles eram modestos, ingênuos e inconscientes das intenções dos líderes religiosos. Enquanto estavam fisicamente com Jesus, ele constantemente os protegia e mantinha seguros do mundo. É como Jesus atestou para o Pai em oração na véspera da sua morte: *Enquanto eu estava com eles, eu os guardei e os preservei no teu nome que me deste. Nenhum deles se perdeu, senão o filho da perdição, para que se cumprisse a Escritura* (Jo 17.12).

Essa promessa continua válida para você e todos que depositam a sua fé e confiança em Jesus (Jo 10.28,29). Jesus novamente exemplificou a qualidade da fidelidade quando admitiu que o Pai lhe tinha dado a responsabilidade sobre os discípulos como sua mordomia: *Manifestei o teu nome aos homens que do mundo me deste. Eram teus, e tu os deste a mim* (Jo 17.6).

## ◆ Refletindo em seu coração

Você percebe que Deus também lhe deu uma "responsabilidade" sobre a vida de todos os membros da sua família e o uso dos seus dons espirituais? Deus pede sua fidelidade com essas vidas e dons preciosos. É como 1Coríntios 4.2 diz: *o que se requer de pessoas assim encarregadas é que sejam encontradas fiéis.*

### Honra teu pai e tua mãe

Falando de família, Jesus era fiel à sua família. O evangelho de Lucas declara que Jesus não iniciou o seu ministério até que tivesse cerca de 30 anos de idade (Lc 3.23). Você consegue imaginar quanto o Deus encarnado teve que ser paciente (outra qualidade que consideraremos) para esperar até que fizesse 30 anos? Um menino judeu era considerado homem com cerca de 12 anos. Então o que Jesus fez durante todos esses anos de espera? A Bíblia não diz, mas, como filho mais velho, seria responsabilidade de Jesus cuidar da sua família se ou quando José morresse. É provável que Jesus tenha cuidado fielmente da sua mãe, meios-irmãos e irmãs até que alguns dos meninos tivessem idade suficiente para ajudar no sustento da família.

Até o fim, Jesus não abandonou Maria, sua mãe. Olhando da cruz para sua mãe e João, o discípulo a quem Jesus amava, proferiu: *Mulher, aí está o teu filho. Então disse ao discípulo: Aí está tua mãe. E, a partir daquele momento, o discípulo manteve-a sob os seus cuidados* (Jo 19.26,27).

Jesus disse: *Honra teu pai e tua mãe* (Mt 15.4). Ele foi modelo de como ilustrar a honra. Jesus nos mostrou em suas últimas horas de vida quanto a nossa família é importante. Ele mostrou amor e respeito por sua mãe, confiando-a fielmente aos cuidados de João. Nós devemos mostrar o mesmo tipo de cuidado. Devemos ver a nossa família como algo importante — não somente nosso marido e filhos, mas nossos pais e, sim, até nossos parentes!

## ◆ Refletindo o coração de Jesus

É vital que a fidelidade seja uma qualidade que brilha forte na sua vida como mulher cristã. Por quê? Porque essa qualidade reflete Jesus para os outros. Quando você é fiel, mostra que é nascida de Deus e que pertence a ele por meio do seu filho. Jesus tinha amor pelo Pai e por fazer a sua vontade. Ele tinha amor pelos outros e por orar por eles. E tinha amor pela família e por cuidar dela.

Conforme caminha em fidelidade, você espelha o amor do seu inabalável salvador. Você também frutifica na vida das pessoas com quem entra em contato. Sua família é abençoada por causa do seu cuidado constante. Sua igreja se beneficia com o uso responsável dos seus dons espirituais. Se você tem um emprego, o seu chefe e os seus colegas de trabalho ganham com a sua fidelidade.

Ficamos maravilhadas com os muitos exemplos da fidelidade de Jesus. E a boa notícia é que você pode nutrir e desenvolver a mesma qualidade distinta. Você pode crescer na fidelidade que prossegue, cumpre as suas obrigações, comparece, mantém a sua palavra e compromissos e é dedicada à obra. Se isso parece impossível ou um caminho muito árduo, tome coragem! O primeiro passo? Clame a Deus em oração. Comece aos poucos — coisas pequenas. Conte também com a força de Jesus. Nele, você pode fazer todas as coisas, inclusive ser fiel (Fp 4.13). Peça que Deus lhe dê sua graça que capacita a trabalhar para eliminar a preguiça e realizar um dos propósitos dele para você – que você seja *fiel em tudo* (1Tm 3.11).

Nosso Deus grande e fiel já deixou disponível para você tudo que se requer para ser fiel. Ele lhe deu o consolador, o Espírito Santo. Ele lhe deu sua Palavra, a Bíblia, para servir como guia. E, louvado acima de tudo, ele lhe deu Jesus como modelo vivo de fidelidade. Jesus a vivenciou dia a dia, minuto a minuto, circunstância a circunstância... e você também pode. Nas palavras do nosso salvador: *Quem é fiel no pouco, também é fiel no muito* (Lc 16.10). Mais uma vez, comece pequeno, pois a fidelidade nas pequenas coisas é uma grande coisa.

## Uma oração

*Senhor Jesus, que eu caminhe dia a dia pelo teu Espírito para que a fidelidade seja refletida na minha vida. Que o meu amor e serviço sejam constantes. Que eu esteja diante de ti quando meus dias na terra terminarem e te ouça dizer: Muito bem, serva boa e fiel. Este, querido Jesus, é o desejo do meu coração. Amém.*

# dia 8

## Focado

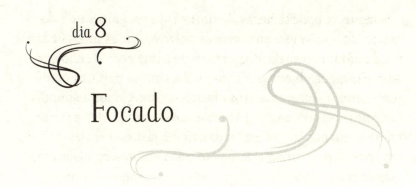

Mantenho meu diário pessoal desde os meus anos de pré-adolescente, quando meus pais me deram um diário com cadeado. Ao longo dos anos, essa prática levou a registros e conservação de datas a lembrar.

Até hoje, tenho certas datas que transfiro todos os anos para meu novo calendário. Essas datas incluem o aniversário do meu casamento e dos membros da família, até as datas de quando Jim e eu nos mudamos para um lugar ou uma casa nova, é claro. Mas existe uma data histórica — o dia em que me tornei cristã!

Há outra data que foi uma mudança de vida absoluta: 21 de agosto de 1974. Era mais uma tarde de domingo. Nessa tarde em particular, Jim e eu nos sentamos juntos enquanto nossos pequenos cochilavam, e cada um de nós escreveu alguns objetivos de vida significativos. Éramos uma família cristã havia poucos anos somente e estávamos amando nossa jornada com Jesus. Ainda estávamos entusiasmados, mas sentimos que precisávamos ter um foco melhor nessa maravilhosa vida nova em Cristo. Veja, nós fazíamos de tudo em nosso entusiasmo para servir a nosso salvador. Então oramos para Deus nos dar sabedoria e orientação e começamos a estabelecer alguns objetivos gerais e específicos para o crescimento nosso, da nossa família e do nosso serviço para Deus.

Naquelas poucas horas de uma tarde preguiçosa de domingo, formulamos uma série de objetivos pelos quais cada um de nós tem trabalhado por mais de trinta anos. Tenho que admitir: meus objetivos nunca mudaram. Ao definir nossos propósitos e escrever nossos objetivos, começamos a simplificar nosso foco na vida e reduzir nossas atividades para se encaixarem nas áreas designadas. Como já disse, nesses muitos anos depois ainda estamos focados em nossos objetivos originais e vivendo diariamente com esses mesmos propósitos a nos guiar.

## ◆ Jesus nos mostra o caminho

"Mire em nada e você acertará." Você já ouviu esse sofisma? Bem, viver sem foco produz a falta de perspectiva. Você acorda a cada dia e parte em todas as direções ao mesmo tempo. Mas, conforme você e eu chegamos a outro dia em nossa jornada com Jesus, queremos acampar um pouco nessa próxima qualidade exemplar de Jesus: o seu foco. Somos presenteadas com a observação de Alguém (com "A" maiúsculo!) que teve uma vida com e para um propósito. Como Jesus cumpriu o seu propósito? Para responder a essa pergunta, recorramos a Jesus e vejamos quatro características proeminentes que marcaram os seus dias. Ele nos mostra o caminho ao transitar por um punhado de práticas que contribuíram para o cumprimento de sua missão. Da mesma forma, você e eu podemos seguir essas mesmas práticas para também viver nossos dias com foco.

### JESUS COMEÇOU O SEU PRÓPRIO MINISTÉRIO

*Jesus se preparava* — Um dos meus princípios preferidos para a vida diária é este: "O sucesso acontece quando a preparação encontra uma oportunidade". A preparação é um passo necessário para viver o propósito de Deus. Ela lhe dá a capacidade de aproveitar as oportunidades conforme se apresentarem durante o dia... ou a vida.

Sempre que dou aula sobre planejamento e preparação, uso Jesus como ilustração máxima. Ele gastou quase trinta anos se preparando para o dia em que começaria o seu ministério. O mesmo aconteceu com o primo de Jesus João Batista, que se preparou por trinta anos para o seu ministério de um ano como arauto da vinda do Messias. Os caminhos desses dois homens se cruzaram no rio Jordão, onde João estava batizando as pessoas e Jesus apareceu para ser batizado. Imediatamente após o seu batismo, Jesus iniciou o seu ministério terreno de três anos: *Ao começar o seu ministério, Jesus tinha cerca de trinta anos* (Lc 3.23).

Formalmente, foi com a idade de 30 anos que Jesus iniciou o seu ministério público para cumprir o seu propósito. Mas ele não esperou até a idade de 30 anos para se preparar para ministrar. Ele fazia isso há três décadas. E não esperou trinta anos para abençoar e servir aos outros, porque sabemos que ele servia à sua família em casa. Você e eu também não deveríamos esperar para servir aos outros. Enquanto nos preparamos para ganhar conhecimento, habilidade e desenvolver nossos dons espirituais, podemos servir de múltiplas formas, começando em casa mesmo.

Foi assim que aconteceu na minha vida e como meu ministério começou. Levou sete anos de crescimento espiritual e estudo direcionado — sete anos de preparação — antes de dar o meu primeiro estudo bíblico. Durante aqueles sete anos, me dediquei a criar os meus filhos, apoiar o meu marido ocupado e progredir no crescimento em minha caminhada cristã. Então um dia, quando meus filhos estavam mais velhos e na escola, fui convidada para dar aula numa oficina para um pequeno grupo de senhoras. Orei e então, hesitante, disse sim. Bem, a versão resumida da minha história é que por mais de vinte anos dei uma porção de estudos bíblicos para mulheres na minha igreja e, no tempo de Deus, esse ministério de ensino se desenvolveu para um ministério de escrever.

Quero rapidamente dizer que isso é o que aconteceu na *minha* vida. Deus trabalha de diferentes formas através do seu povo. Eu poderia escrever muitas páginas sobre o que aconteceu na vida das minhas amigas e de outras mulheres da minha igreja e ainda de outras que encontrei ao longo de décadas. Ensinar não é o meu foco aqui, nem necessariamente deve ser o seu objetivo. Não, preparar-se é o foco! Conforme você lê a Palavra, cresce espiritualmente, busca direção de Deus através da oração e serve ao povo de Deus, certos dons ou serviços subirão para o primeiro lugar. Você pode se achar dando conselhos ou aconselhamento. Ou mantendo sua porta aberta em hospitalidade, organizando conferências ou liderando algum comitê, doando seu tempo e dinheiro para algum ministério ou alguma missão que sejam dignos, levando idosos a consultas médicas e deixando uma refeição especial para eles. Como a Bíblia diz: *Há diversidade de dons* [...]. Há diversidade de ministérios [...]. *E há diversidade de realizações* (1Co 12.4-6). Ao se preparar por meio do crescimento espiritual, você estará se preparando para sua contribuição única para o corpo de Cristo.

## ◆ Refletindo em seu coração

Viver com propósito significa focar o seu coração, tempo, energia e prioridades. Isso exige que se tire vantagem de cada dia de forma agressiva, não somente para ajudar os outros, mas também para se preparar para o futuro ministério. Então, quando se apresentarem linhas claras de serviço, você se encontrará pronta. O que você pode fazer hoje a fim de se preparar para as oportunidades que a aguardam? Anote e ore a esse respeito. Então faça. O seu foco diário na preparação trará novo vigor e progresso para o o seu dia.

## Enquanto ele orava...

*Jesus orava* — Assim que Jesus começou o seu ministério, podemos vê-lo orando. A oração que ele elevou logo depois de ser batizado costuma ser negligenciada. Lucas é o único escritor dos quatro evangelhos que nos conta o que aconteceu: *Depois que todo o povo fora batizado, e Jesus também, enquanto ele orava, o céu se abriu* (Lc 3.21).

Nunca é demais ouvir sobre a importância da oração e do propósito como exemplificados por Jesus. Jesus estava em comunhão constante com o Pai. Nesse livro o vemos orando antes de eventos (antes de escolher os doze discípulos — consulte Lucas 6.12), em eventos (na Última Ceia — consulte João 17), ou por algum evento ainda por vir (pelo seu julgamento e sua morte — consulte Lucas 22.40-46).

### ◆ Refletindo em seu coração

O propósito de Deus para você já está firmemente fixado no seu coração e na sua mente? Certifique-se de recorrer a Jesus e permitir que ele sirva como o seu modelo perfeito para conhecer o plano de Deus, ficar focada nele e vivenciá-lo. Ao tornar a oração um hábito firme, você descobrirá o plano de Deus para a sua vida se desdobrando enquanto ele a guia. Ao orar, os seus dias se tornarão objetivos em lugar de subjetivos, cheios em lugar de vazios, esperançosos em lugar de desesperados, vibrantes em lugar de desocupados.

## Ele nos elegeu nele

*Jesus planejava* — Como membro da Divindade, o filho, junto com o Pai, fez este plano na eternidade passada: *Como também nos elegeu nele, antes da fundação do mundo, para sermos santos e irrepreensíveis diante dele em* amor; *nos predestinou para si mesmo, segundo a boa determinação de sua vontade, para sermos filhos adotivos por meio de Jesus Cristo* (Ef 1.4,5).

Obviamente, você e eu nos beneficiamos com o plano de Deus! Você não fica feliz porque havia um plano? Você e eu também precisamos planejar, se vamos nos focar em cumprir os propósitos de Deus e abençoar outros. O propósito dele para você levará sua vida inteira para se completar. Se você tentar olhar adiante para a sua vida toda de uma vez, provavelmente se sentirá sobrecarregada. Mas, se partir os seus objetivos e desejos em pedaços e partes menores e se focar neles, você achará mais fácil lidar com eles. É aí que a programação vem ao resgate. Quando você faz uma programação para cada dia, pode encaixar um ou dois passos a mais rumo aos seus objetivos. Com um plano e uma programação na mão e no seu coração, você pode então passar para a próxima fase da realização do propósito de Deus: Você pode prosseguir!

## Ele manifestou o firme propósito de ir para Jerusalém

*Jesus prosseguia* — Podemos fazer planos o dia inteiro, mas, até entrarmos em ação para tornar esses planos realidade, é apenas conversa e sonho. Chegara o dia em que Jesus sabia que o seu tempo na terra estava terminando. Ele logo morreria e retornaria para o céu. Portanto, era a hora de prosseguir e cumprir o propósito da sua vinda à terra. *Quando se completavam os dias para que fosse elevado ao céu, ele manifestou o firme propósito de ir para Jerusalém* (Lc 9.51). Estava na hora de Jesus morrer e *dar a vida em resgate de muitos* (Mt 20.28).

Apesar de saber que enfrentaria humilhação e morte nas mãos de pecadores ímpios quando chegasse a Jerusalém, Jesus estava determinado a ir até lá. O fato de conhecer o seu

FOCADO 79

propósito deu a Jesus determinação adicional para prosseguir e completar a tarefa dada a ele pelo Pai.

♦ **Refletindo em seu coração**

Propósito ou foco tem a ver com estar pronta para fazer a vontade de Deus. Jesus estava determinado a prosseguir para Jerusalém, apesar de saber o que o aguardava. Ele é o modelo do tipo de determinação que deveria caracterizar a sua vida também. Pense no seu nível de firmeza. Você é focada... ou facilmente distraída do propósito de Deus para a sua vida? A distração está em toda esquina quando o plano dele não está claramente fixado na sua mente. Deus, em sua soberania, lhe deu um curso de ação. Espero que você o tenha firmemente fixado em sua mente e em seu coração — e agenda — e esteja prosseguindo com convicção nessa direção, na direção de cumprir o propósito de Deus, não importando quais obstáculos possam aguardá-la.

## Os anjos o serviam

*O Pai sustentava* — Agora, posso rapidamente acrescentar uma ressalva à minha última frase? Nem precisa falar, mas aqui vai um lembrete: o propósito de Deus para sua vida não virá sem a provisão dele em pelo menos duas áreas. Da mesma forma que foi verdade no caso de Jesus.

### A provisão do Pai na tentação

Como Deus, Jesus não poderia pecar, mas a intensidade de cada tentação que ele enfrentou foi severa. Durante aqueles momentos quando Jesus estava sob coação física extrema, o Pai proveu sustento angelical.

O primeiro foi durante os quarenta dias de tentação por Satanás enquanto Jesus estava privado de comida e água. *E esteve no deserto quarenta dias, sendo tentado por Satanás. Estava com as feras, e os anjos o serviam* (Mc 1.13).

O outro foi no jardim de Getsêmani, quando Jesus lutava com o seu propósito: *Então apareceu-lhe um anjo do céu, que o encorajava. E, cheio de angústia, orava mais intensamente; e o seu suor tornou-se como gotas de sangue, que caíam no chão* (Lc 22.43,44).

Em meio à agonia dessas duas tentações para abandonar a confiança no Pai, o Pai sustentou o seu filho. Anjos foram enviados para servir a Jesus e fortalecê-lo.

Deus também fez provisão para você e para mim até na área da tentação. Ele tem um plano para você. E sabe que o pecado pode obstruir o cumprimento do seu plano. Então, como o apóstolo Paulo explica: *Mas Deus é fiel e não deixará que sejais tentados além do que podeis resistir. Pelo contrário, juntamente com a tentação providenciará uma saída, para que a possais suportar* (1Co 10.13).

## ◆ Refletindo em seu coração

"Deus é fiel." Permita que esta verdade renove o seu coração! Deus nem sempre removerá as suas tentações, porque, ao resistir, elas fortalecem sua fé nele. No entanto, ele promete impedir que a tentação se torne tão forte que você não possa resistir a ela. Faça o que fizer, não tente lidar com sua tentação sozinha. Por meio da oração, a assistência da Palavra de Deus e o apoio dos outros, Deus provê o caminho para você permanecer fiel quando for tentada. Conte com isso!

### A provisão do Pai para todas as necessidades da vida

Paulo tinha uma "abertura" com Deus, um relacionamento pessoal com o seu filho, o Senhor Jesus. Por isso, Paulo pode trazer uma promessa de provisão de Deus para você e para mim. Ele escreveu: *O meu Deus suprirá todas as vossas necessidades, segundo sua riqueza na glória em Cristo Jesus* (Fp 4.19). Se Jesus é o seu salvador pessoal, você e todos os crentes têm a promessa de provisão para todas as suas necessidades reais. Você pode sempre contar com Deus para suprir tudo que se requer para sustentá-la.

### ◆ Refletindo em seu coração

Pense nisto: Deus supre todas as suas necessidades. Que promessa magnífica! Ele tem um propósito para você, e você pode seguir sem medo ou ansiedade em direção ao cumprimento desse propósito por causa dos 100% de provisão garantidos por ele. Seja qual for sua necessidade hoje — financeira, física, emocional ou espiritual —, leve essa necessidade a Deus com ousadia. Então se afaste e contemple o Pai ajudá-la a cumprir o seu propósito suprindo todas as suas necessidades, conforme as suas riquezas em glória, através e por causa do seu filho, Jesus.

### ◆ A Palavra de Deus nos mostra o caminho

É difícil para nós como mulheres cristãs conhecer o nosso propósito. Há tantas vozes gritando para nós, sugerindo-nos todo tipo de objetivos. Mas a Palavra de Deus torna o nosso propósito completamente claro. A voz dele se levanta majestosamente acima do clamor das opiniões e conselhos que os outros têm para você e para mim... e para quem mais ouvir. A boa notícia é que Deus não pede milhares nem mesmo centenas de coisas de suas filhas. Ele pede somente que nos concentremos em dez coisas, dez fundamentos que nos ajudam a cumprir o seu grandioso propósito para nós como mulheres que amam a Deus, amam e servem os outros e o refletem para o mundo. A lista dele, localizada em Tito 2.3-5, contém estes fundamentos para focarmos nosso tempo e energias:

1. Seja piedosa em seu comportamento.
2. Seja verdadeira e doce no falar.
3. Seja disciplinada e tenha domínio próprio.
4. Seja mestra e encorajadora das boas coisas.
5. Seja dedicada ao seu marido.
6. Seja dedicada aos seus filhos.
7. Seja discreta e sábia em suas ações.
8. Seja casta e pura de dentro para fora.
9. Seja focada em seu lar.
10. Seja mansa e boa para todos.

## ◆ Refletindo o coração de Jesus

É profundamente libertador conhecer o seu propósito na vida. Vaguear sem objetivo pelos seus dias preciosos é cansativo, frustrante e não compensador. Seria uma grande tragédia acordar um dia e perceber tudo o que você poderia ter realizado se tivesse se concentrado em alguns objetivos dignos ao longo do caminho. Talvez você já conheça o seu propósito. Caso sim, concentre o seu tempo e energias nele. Mas, se você está um pouco devagar ou insegura, gaste tempo examinando a vida de Jesus. Preste bem atenção ao foco e à segurança dele ao viver o propósito de Deus em sua vida diária. Note como ele fixou o seu olhar no plano de Deus para ele. E anime-se! Como mulher que está buscando o plano de Deus, você já está evidenciando propósito. Você está refletindo Jesus ao vivenciar as suas instruções para *buscar primeiro o seu reino* (Mt 6.33).

## Uma oração

*Jesus bendito, eu tenho tanto a fazer... e quero fazer. Hoje tenho tantas opções com que gastar meu tempo e onde colocar meu foco. Meu coração anseia viver para ti e realizar o teu plano para mim. Sonda o meu coração e vai à frente. Eu quero te seguir! Amém.*

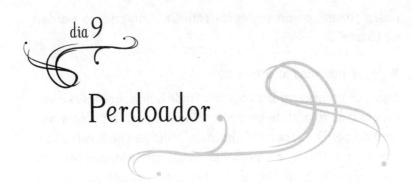

# dia 9
# Perdoador

"Eu te perdoo." Três palavras. Três palavras que são até fáceis de falar. Três palavras que são extremamente difíceis de falar a sério e viver.

Desde os dias em que Adão e Eva sucumbiram às artimanhas do diabo em Gênesis 3 e desobedeceram a Deus, o pecado faz parte da vida diária de todo ser vivente. Você não consegue passar nem um dia sequer sem que alguém a magoe. Você pode ser esnobada, ignorada, deixada de lado ou passada para trás. Você pode ser repreendida, ignorada, humilhada ou criticada. Pode ser traída e abandonada. Pode ser motivo de fofoca e difamação. Pode ser iludida, enganada e trapaceada. Pode ser embromada, abusada ou descartada como amiga, participante, parceira ou funcionária. E essas ofensas também podem acontecer com os membros da sua família e amigos.

Essa lista de injustiças poderia ir longe... e vai! Mas nosso foco ao considerar o que significa refletir o coração de Jesus precisa ser este: Como os maus-tratos são ocorrências comuns, previsíveis e que definitivamente virão, o que podemos fazer a esse respeito? O que devemos fazer com a dor infligida a nós e nossos amados? Como podemos suportar os erros e ainda perdoar aqueles que os infligiram, como Jesus fez... e como Jesus nos mandou fazer? Ou, colocando de outra forma, como podemos refletir o magnífico perdão de Cristo?

## ◆ Jesus nos mostra o caminho

Antes de começarmos a observação de hoje sobre Jesus e sua capacidade divina de perdoar, olhemos para a própria origem do perdão para a raça humana voltando no tempo. Viajemos pela cena que mencionei anteriormente, que ocorreu no jardim do Éden. O que aconteceu depois que Adão e Eva se rebelaram contra Deus? Bem, houve consequências definitivas. Primeiro, o casal foi sentenciado a uma vida de dor e trabalho árduo, coisas que nunca haviam experimentado na perfeição sem pecado do Éden. Então foram expulsos do paraíso do jardim que sempre conheceram e impelidos a um mundo carregado de pecado para se defenderem e sustentar. Essa foi a má notícia.

Mas a boa notícia é que Deus perdoou o casal pecaminoso que ele tinha criado com amor para ter comunhão doce, íntima e perfeita com ele. Além disso, ele os vestiu (Gn 3.21) e os mandou embora para ter uma vida nova em oposição à morte que o seu pecado merecia. Apesar de o seu novo lar não ser nem um pouco agradável e perfeito como o que tinham conhecido no jardim (v. 17-19), Deus supria as suas necessidades.

O perdão começou lá atrás com Deus e ainda é assim hoje. Deus tomou a iniciativa de perdoar o pecado de Adão e Eva. O seu primeiro ato de perdão e purificação com relação ao casal foi vesti-los com peles de animais sacrificados. A morte física sofrida pelos animais deveria ter sido a deles, mas foram os animais que morreram — uma prévia da morte vicária de Jesus por nossos pecados.

Nesse ato de providenciar peles de animais para cobrir a nudez do homem e da mulher, o Todo-poderoso estabeleceu um sistema para perdoar os pecados do seu povo. Aquele sistema encontrou o seu sacrifício final pelo perdão do pecado na morte de Jesus. Por toda a Bíblia Deus Pai se refere a si próprio como Deus de perdão. Esse perdão foi exemplificado a nós na vida e morte de Jesus, o filho de Deus.

### PERDOAI, PARA QUE TAMBÉM O VOSSO PAI VOS PERDOE

Você sabe o que é o "normal", não é mesmo? É a reação para a qual instintivamente saltamos quando somos machucadas. Seja nossa ferida emocional, seja física, avançamos em modo de retaliação. A pessoa normal pensa: "Você me machucou; então vou te machucar". Esse tipo de reação é o padrão natural, normal do mundo. Não é segredo que o perdão não é a reação normal ou humana.

Mas Jesus nos mostra o caminho. Na verdade, ele nos chama para dar a resposta oposta quando erram conosco. Devemos refletir Jesus e dar a resposta "sobrenatural". Jesus não respondia aos abusos amontoados sobre ele devolvendo mal com mal. Ele reagia — e ensinou que deveríamos reagir — exatamente na direção oposta! Ele disse: *Quando estiverdes orando, se tendes alguma coisa contra alguém, perdoai, para que também o vosso Pai que está no céu vos perdoe as vossas ofensas* (Mc 11.25). Com essas palavras, o próprio Jesus nos informa o que deseja de nós. (E, a propósito, não são sugestões, mas ordens do próprio mestre.)

Jesus está pedindo que você e eu perdoemos como ele perdoou — para refleti-lo. Ele quer que reajamos por um padrão mais alto, um padrão divino. Como diz o ditado: "Errar é humano; perdoar, divino". Isso significa que se a pessoa que a machucou ou devastou sua vida nunca se arrepender... ou nunca reconhecer a dor que lhe causou... ou nunca lhe pedir perdão... ou nunca nem disser: "Sinto muito", você ainda está disposta a estender perdão. Perdoar essa pessoa a libertará de um fardo pesado de amargura.

### ◆ Refletindo em seu coração

O perdão não diz respeito aos "outros". Não diz respeito àqueles que a machucam. Diz respeito a você e sua conexão com Deus. Como está o seu relacionamento com ele? Você já aceitou a morte de Jesus em seu lugar como perdão pelos seus pecados? Perdoar os outros começa com Deus. É como um princípio de Jesus nos ensina: *aquele a quem se perdoa muito, este ama muito* (Lc 7.47).

## AMAI UNS AOS OUTROS

No perdão, Jesus programou uma nova ordem de vida — viver em amor em lugar do ódio. Ele era a incorporação pura do amor de Deus e ordenou a seus discípulos — e o seus seguidores desde então (você e eu!) — a manifestarem o mesmo amor aos outros. Ele disse: *Eu vos dou um novo mandamento: que vos ameis uns aos outros; assim como eu vos amei, que também vos ameis uns aos outros. Nisto todos saberão que sois meus discípulos, se vos amardes uns aos outros* (Jo 13.34,35).

O apelo do nosso salvador, endereçado a nós tantos séculos atrás, foi para imitarmos o seu coração perdoador. Como ele pontuou, nosso amor e perdão seriam — e são — um sinal para o mundo vigilante de que marchamos numa batida diferente. Seguimos o Senhor Jesus Cristo, e não nossas emoções, o que vemos ou lemos, o que testemunhamos à nossa volta ou o que nos mandam fazer. Quando amamos e perdoamos os outros como Jesus fez, gritamos para o mundo que somos filhas de Deus. Realmente, o perdão é uma marca do amor cristão.

## FAZEI O BEM AOS QUE VOS ODEIAM

Ninguém pode forçá-la a perdoar outra pessoa. O perdão deve vir de dentro e encontrar o seu caminho para fora em forma de resposta física. Jesus conhece o seu coração e também sabe que às vezes é difícil perdoar em seu coração aqueles que a magoaram. Então, como ato de vontade, tente reagir com atos de bondade. Muitas vezes você descobrirá que os atos certos levam a sentimentos certos. Nosso Senhor nos diz:

> *Amai os vossos inimigos, fazei o bem aos que vos odeiam, abençoai os que vos amaldiçoam e orai pelos que vos maltratam. Ao que te bater numa face, oferece-lhe também a outra; e ao que te houver tomado a capa, deixa que leve também a túnica. Dá a todo que te pedir; e ao que tomar o que é teu, não lhe peça de volta. Como quereis que os outros vos façam, assim também fazei a eles (Lc 6.27-31).*

## ◆ Refletindo em seu coração

Um coração puro, pleno do amor de Deus, a capacitará a mostrar amor e perdão a alguém que tenha errado com você. Como se faz isso? Você pode estender gentileza e bondade. Pode mandar um presente. Pode sorrir para essa pessoa. Muitas vezes descobrirá que o seu primeiro gesto derreterá a frieza dela com você. Mas, independentemente disso, você terá ativado — ou derretido! — qualquer frieza em seu coração. Você estará avançando para perdoar uma pessoa que errou com você. Você deparará com o seu coração derretendo para poder perdoar livremente outra pessoa exatamente da mesma forma que Deus a perdoou em Cristo (Ef 4.32).

### PERDOAR AOS HOMENS AS SUAS OFENSAS

Mencionei anteriormente que Deus nos ordena perdoar os outros. Isso significa que o perdão não é opcional. Devemos perdoar *aqueles que erraram conosco* (Mt 6.12)[1] como Jesus

---

[1] VAUGHAN, Curtis. *The New Testament from 26 Translations*. The New English Bible. Grand Rapids: Zondervan, 1967, p. 22.

declara no que nos referimos como a Oração do Pai-nosso. Perdoar os outros não está aberto a debates. Não, é a própria marca de um cristão. Jesus faz uma advertência alarmante sobre o perdão: *Porque, se perdoardes aos homens as suas ofensas, também vosso Pai celestial vos perdoará; se, porém, não perdoardes aos homens, tampouco vosso Pai perdoará vossas ofensas* (Mt 6.14,15). Se nós esperamos ser perdoadas, precisamos praticar o perdão.

O perdão de Deus para o pecado não se baseia em alguém perdoar os outros. O perdão de um cristão, *sim*, se baseia no entendimento de que ele foi perdoado (Ef. 4.32). A comunhão pessoal diária e permanente com Deus é o que está em vista nesses versículos (não a salvação do pecado). Uma pessoa não pode andar em comunhão com Deus se ela se recusar a perdoar os outros.

## Até quantas vezes deverei perdoar?

Um dia, enquanto Jesus ensinava numa região próxima ao mar da Galileia, o seu discípulo Pedro fez uma pergunta que provavelmente tinha se formado em sua mente algum tempo atrás: *Senhor, até quantas vezes deverei perdoar meu irmão que pecar contra mim? Até sete vezes?* (Mt 18.21). Pedro estava sendo generoso quando sugeriu perdoar alguém sete vezes, pois o ensino da tradição rabínica era que uma pessoa ofendida precisava perdoar o seu irmão apenas três vezes. Pedro estava perto de Jesus o suficiente para saber que perdoar os outros era importante para o Senhor. Mas talvez tenha imaginado: "Quando é o suficiente?" Pedro estava certo de pensar que Jesus provavelmente desejaria que os seus seguidores mostrassem mais perdão que a tradição rabínica requeria.

Contudo, a réplica de Jesus comunicou que precisamos exercitar o perdão a uma extensão muito maior: *Não te digo que até sete vezes; mas até setenta vezes sete* (v. 22). Você pode fazer as contas — são 490 vezes que devemos perdoar um indivíduo que pecar contra nós, vez após vez. Ao dizer setenta vezes sete, Jesus estava ensinando que o perdão deve ser estendido 490 vezes... mais! Em outras palavras, o perdão não tem limites. Devemos perdoar não importando o número de pecados cometidos! Jesus não estabeleceu limite nenhum para perdoarmos alguém que cometeu ofensas sem limite contra nós.

Então Jesus, o sumo mestre, assim como o sumo perdoador, contou uma parábola que ilustrava o conceito de perdão ilimitado (v. 23-25). Ele contou de um rei que queria acertar as contas com os seus servos. Um servo devia uma quantia enorme — dez mil talentos! Isto é o equivalente a cerca de um milhão de dólares na economia atual. Bem, é claro que o servo não poderia pagar. Então, conforme o costume da época, o rei ordenou que o servo e sua família fossem vendidos como escravos para recuperar parte de sua dívida. Mas, quando o servo apelou para o seu amo, implorando por tempo para pagar a sua dívida, o amo teve pena do servo, cancelou a dívida e o libertou.

Então o que o devedor perdoado fez? Saiu e encontrou outro servo que lhe devia uma quantia muito menor — cem denários. O denário era o equivalente a um dia de trabalho. O primeiro servo exigiu o pagamento e se recusou a mostrar misericórdia para com o seu devedor. Na verdade, mandou lançar o segundo servo na prisão até que pagasse a dívida.

Como a parábola termina? Outros servos foram até o amo e lhe contaram o que tinha acontecido, o que o servo perdoado havia feito com um servo companheiro. Quando o amo ouviu isso, chamou de volta o primeiro servo e o encarcerou por falhar em mostrar misericórdia a um companheiro quando ele havia sido perdoado de uma dívida muito maior.

Por meio dessa parábola, Jesus estava ensinando que o perdão deveria ser diretamente proporcional à dimensão da dívida da qual fomos perdoados. O primeiro servo tinha sido perdoado por completo, e ele, por sua vez, deveria ter perdoado por completo. Se você é filha de Deus, todos os seus pecados foram perdoados por meio da fé em Jesus Cristo. Portanto, quando alguém pecar contra você, sua atitude deve ser a de perdoar essa pessoa completamente, de coração, não importa quantas vezes este ato ocorra.

## PAI, PERDOA-LHES

Você deve estar imaginando: "Existe algum ato que seja grande demais para ser perdoado?" Mais uma vez, a vida graciosa, terna e perdoadora do próprio Jesus nos mostra a resposta — e o caminho. Nosso querido e precioso salvador demonstrou o extremo do perdão. Isso ocorreu no dia mais sombrio e escuro da toda a História — o dia em que Jesus foi crucificado. Imagine o Cordeiro de Deus sem pecado, que esteve ativamente engajado em fazer o bem por três anos de ministério terreno. Por causa da sua bondade, surdos puderam ouvir, cegos passaram a ver, mortos foram ressuscitados e pecadores, perdoados. Ainda assim, em lágrimas terminamos a leitura de cada um dos quatro evangelhos tentando contemplar nosso Jesus, Deus em carne humana, pendurado numa cruz e sofrendo a mais desumana das mortes.

Como Jesus reagiu à crueldade infligida a ele? Ele disse: *Pai, perdoa-lhes, pois não sabem o que fazem* (Lc 23.34). Essas palavras quase inacreditáveis foram uma expressão de compaixão ilimitada da graça divina.

Consideremos a questão novamente: Algum ato é grande demais para ser perdoado? Temos nossa resposta em nosso Senhor, não é mesmo? Nem precisamos fazer a pergunta. Precisamos somente olhar para Jesus. O seu ato extremo de perdão não é somente a instrução, mas o exemplo que precisamos para nos mover a estender essa mesma graça e compaixão àqueles que infligem muito menos dor e mágoa. Jesus nunca pede nada de nós que ele mesmo não tenha feito. Ele pede que perdoemos. Espera que perdoemos. E nos capacita com o poder e a capacidade para perdoar. Por meio da graça todo-suficiente dele, você pode perdoar!

### ◆ Refletindo o coração de Jesus

Que segurança você recebe quando sabe que é perdoada em Cristo! Esse perdão do pecado produz vida eterna, da qual você começou a participar desde o momento da salvação. Quando Cristo é o seu salvador, o Espírito Santo de Deus vem habitar em você. Isso significa que você exibe o comportamento semelhante ao de Cristo (Gl 5.22,23).

Aqui vai como isso funciona. Cristo em você a capacita a refletir o caráter semelhante ao dele. Por exemplo, isso permite que você seja longânima ou mostre paciência. A longanimidade ou paciência se refere à sua capacidade de suportar as injúrias infligidas pelos outros e a sua disposição de aceitar situações irritantes ou dolorosas. Em Cristo, você é capaz de não somente resistir ao grande sofrimento infligido por outros, mas também possui a força e o poder de Cristo para perdoar — com o amor dele — aqueles que causam a mágoa.

### Uma oração

*Senhor Jesus, obrigada por perdoares o meu pecado e ajuda-me, por minha vez, a perdoar os outros. Sonda o meu coração para encontrar as situações nas quais não estou perdoando completamente um erro infligido a mim. Que a beleza do teu perdão me envolva sempre que me lembrar da injúria, da dor ou da memória dessa mágoa. Dá-me amor para perdoar setenta vezes sete. Amém.*

dia 10

# Generoso

Acredite se puder, mas por mais que o Jim e eu sejamos muito ativos, não sou uma grande fã de viagens, especialmente de viagens internacionais. Não tenho muitas lembranças agradáveis das maratonas de viagens de avião. Uma coisa de que me lembro bem é da preocupação que Jim e eu temos quando pousamos em São Paulo, Bangcoc ou em qualquer outro lugar para um compromisso ministerial importante, e ficamos imaginando se nossa bagagem chegou conosco ou seguiu viagem para Berlim ou Pequim.

Em uma dessas ocasiões, nós dois chegamos a um país caribenho para uma conferência ministerial... só que descobrimos que nossas bagagens tinham realmente seguido viagem para um país caribenho totalmente diferente. Mas esse aparente desastre foi o início de uma das demonstrações mais incríveis de generosidade semelhante à de Cristo. Assim que pousamos, fomos informados de que a esposa do presidente do país nos havia convidado ao palácio presidencial para conhecê-la. Daquele momento em diante, nossos anfitriões começaram a nos dar coisas liberalmente — literalmente tiraram a camisa do próprio corpo... e os sapatos também. Eles nos deram tudo que precisávamos para nos aprontar para uma audiência com a esposa de um líder poderoso! E, como já disse, esse foi apenas o início de um fim de semana de generosidade abundante.

GENEROSO 93

Até hoje, sempre que penso em generosidade, essa gente querida me vem à mente. Ao recordar a sua graça em nos doar tanto, paro e penso: "Isso é muito parecido com Jesus, nosso salvador, que foi generoso além da imaginação". Um coração liberal como o demonstrado por nossos novos amigos num país estrangeiro deveria ser a norma, mas, infelizmente, esse não costuma ser bem o caso. Talvez seja por isso que a generosidade semelhante à de Cristo seja um choque tão grande quando oferecida.

## ◆ Jesus nos mostra o caminho

É um novo dia em nossa jornada para o caráter de Jesus. Mais uma vez, somos privilegiadas por olharmos para a sua vida exemplar. Não há dúvida de que ele é o modelo máximo de generosidade, pois deu o presente máximo ao se sacrificar — morrer — para perdoar nossos pecados e nos assegurar vida eterna. O seu desprendimento foi de proporções infinitas, porque ofereceu o sacrifício imensurável. Ele veio *para dar sua vida em resgate de muitos* (Mt 20.28). E por que ele não o faria? A generosidade fazia parte da sua natureza como Deus!

Quando você pensa em tudo que Deus Pai deu, a generosidade de Jesus não é uma surpresa. Por todo o Antigo Testamento, de Gênesis e Malaquias, Deus é visto como um Deus generoso, amável e liberal. Por exemplo:

- ◆ Deus deu vida a Adão e Eva.
- ◆ Deus deu segurança e salvação a Noé e sua família durante o dilúvio.
- ◆ Deus deu o maná para sustentar os israelitas no deserto.
- ◆ Deus deu a Terra Prometida ao seu povo escolhido.
- ◆ Deus dava proteção a seu povo enquanto este o servia.
- ◆ Deus deu a Davi a promessa de um futuro rei, um salvador que remiria o homem do seu pecado.

UMA MULHER QUE REFLETE O CORAÇÃO DE JESUS

- Deus deu a seus profetas visões de um futuro salvador, o seu próprio filho amado.
- Deus deu o seu filho unigênito.

Como acabei de ler e refletir sobre esses exemplos de liberalidade (especialmente o último!), me pergunto: "O que posso dar... e o que mais posso dar?" Como filhas do rei, você e eu temos o privilégio e a responsabilidade de dar continuidade ao exemplo de liberalidade do Pai — infinitamente mais que tudo que pedimos ou pensamos. Temos uma reputação a zelar. Nosso caráter como cristãs está envolvido. Os outros a veem como uma pessoa liberal? Ao ler mais sobre os exemplos de Jesus do que significa ser caridosa, faça disso um ponto a se pensar e ore sobre o que você pode fazer para nutrir um espírito mais generoso.

## Por vossa causa Jesus tornou-se pobre

Nosso Jesus é um modelo espetacular de generosidade e desprendimento. Para começar a lista, considere que ele abriu mão do seu lugar exaltado no céu para se tornar humano. Isso não significa que ele abriu mão dos seus poderes eternos; em lugar disso, significa que escolheu viver em obediência à vontade do Pai. *Ele tornou-se pobre* quando se tornou humano porque abdicou de toda a sua riqueza (2Co 8.9). Na verdade, ele explicou que *As raposas têm tocas, e as aves do céu, ninhos; mas o filho do homem não tem onde descansar a cabeça* (Mt 8.20). Ainda assim, o seu sacrifício — e generosidade — ao abrir mão de tudo, inclusive do conforto de uma casa, foi tamanho *para que fôsseis enriquecidos por sua pobreza* por meio do recebimento do seu dom gratuito de salvação e vida eterna (2Co 8.9).

Generosidade, da forma definida pela vida e pelo caráter de Jesus, significa doação sacrificial. Para refletir a vida de Jesus de forma apropriada, você pode precisar fazer o que fiz e elevar o seu nível de generosidade à esfera sacrificial. Oração e determinação são um bom lugar para começar... seguidos de ação, é claro.

## A viúva deu tudo que tinha

Aqui está algo para se ponderar: a generosidade não tem nada a ver com quanto você tem, mas tudo a ver com quanto você dá em proporção a quanto tem. Jesus nos mostrou essa verdade por meio das ações de uma mulher incrível (você a encontrará novamente em outro lugar neste livro). Jesus apontou para uma mulher carente para ilustrar a verdade de que a definição de Deus de generosidade é diferente da definição do mundo. Jesus a destacou quando estava com os seus discípulos no pátio do templo e observava as pessoas no ato de depositar suas ofertas no cofre do templo. Foi assim que aconteceu:

> *Jesus sentou-se em frente ao cofre das ofertas e observava como a multidão colocava dinheiro no cofre. Muitos ricos depositavam ali muito dinheiro. Veio, porém, uma viúva pobre e colocou no cofre duas moedinhas, que valiam um quadrante. Chamando ele os discípulos, disse-lhes: Em verdade vos digo que esta viúva pobre deu mais do que todos os que colocaram ofertas no cofre, porque todos deram do que lhes sobrava; mas ela, da sua pobreza, deu tudo o que possuía, todo o seu sustento* (Mc 12.41-44).

Jesus explicou que a viúva doou mais que os outros. Como isso era possível? Porque os outros deram da sua riqueza material a baixo custo pessoal e pouco sacrifício. Mas a viúva deu da sua pobreza. Proporcionalmente, ela deu o máximo — tudo o que tinha para se sustentar! Tamanha doação generosa e sacrificial significava que estava plenamente confiante de que Deus supriria todas as suas necessidades.

### ◆ Refletindo em seu coração

A mensagem de Jesus ao seu coração é esta: Sua generosidade não é medida pelo montante da sua doação, mas pelo montante que sobra depois que você dá. Obviamente Jesus não está dizendo para dar tudo o que você — e a sua família — tem. Mas ele *está* dizendo que você deve dar de forma proporcional ao que Deus a tem abençoado e confiar nele para sustentá-la com o que sobrar e supri-la, se necessário, com mais (2Co 9.7-8). Não tem por que se preocupar — o Senhor é o seu pastor; portanto, você nunca terá falta do que realmente precisa. Ele promete isso no Salmo 23.

O que você pode fazer para seguir nas pegadas dessa senhora — e de Jesus? Para dar a arrancada, ore para ser mais generosa. Se você tem família, dialogue a respeito desse maravilhoso traço de generosidade que Jesus possuía e buscava nos outros. Que projeto você ou a sua família podem assumir? Isso falará eloquentemente a seus filhos, além de regar e nutrir essa excepcional qualidade da generosidade no coração deles.

### Onde estiver teu tesouro, aí estará também teu coração

Este livro é sobre refletir o coração de Jesus. Como todos os traços de caráter de Jesus, a generosidade é uma questão do coração. Os fariseus, uma seita de líderes religiosos nos dias de Jesus, faziam um grande *show* de doação aos necessitados, tanto nas sinagogas como nas ruas. Eles achavam que isso provava quanto eram retos e espirituais.

Contudo, Jesus ensinou exatamente o oposto com relação à generosidade. Ele disse que a doação deveria ser feita em secreto. Ele nos instruiu a ter *cuidado para não praticardes boas obras diante dos homens a fim de serdes vistos por eles.* Em vez disso, que *a tua mão esquerda não saiba o que faz a direita.* Por quê? *Para que a tua esmola fique em segredo; e teu Pai, que vê o que é secreto, te recompensará* (Mt 6.1,2-4).

Dar à maneira de Deus demonstra verdadeira retidão diante dele, não diante dos outros. E o resultado? Deus, por sua vez, recompensa o doador. Em outras palavras, você não pode procurar suas bênçãos e recompensas tanto dos homens quanto de Deus.

## ◆ Refletindo em seu coração

Dar é uma questão entre você e Deus, e não entre você e outra pessoa ou causa, não importa quanto seja importante. É uma questão do coração. Dar deve ser um ato de adoração. Da mesma forma como você se prepara para adorar e ministrar, deve se preparar para os atos de generosidade (2Co 9.7). Onde está o seu coração? Uma verdade básica nos ensina que *onde estiver teu tesouro, aí estará também teu coração* (Mt 6.21).

### Fazei bem aos que vos odeiam

É natural apreciar ser generosa com nossos amigos e aqueles que são generosos conosco ou até mesmo com aqueles que estão em necessidade extrema. Mas nossa atitude muda quando se trata de dar a quem nos magoa. Nossa natureza humana geralmente deseja retaliação quando somos prejudicadas. Mas Jesus levou o conceito de amor e generosidade a um nível completamente novo. Ele ensinou que a generosidade também se aplica aos nossos inimigos. Devemos tratar os outros — e especificamente os nossos inimigos — de forma diferente. Em vez de buscar vingança retaliando ou retendo, Jesus ordena: *Dá a quem te pedir e não voltes as costas a quem te pedir emprestado* (Mt 5.42), mesmo se essa pessoa for um inimigo.

Jesus nunca fez uma afirmação vã. Quando estava morrendo na cruz, ele não exigiu retaliação ou justiça. Em vez disso, pediu que os seus inimigos — aqueles que o condenaram e mataram — fossem perdoados. Ele orou: *Pai, perdoa-lhes, pois não sabem o que fazem* (Lc 23.34).

Meu ensino favorito sobre como tratar meus inimigos nos dá a forma infalível de Jesus, em três passos, para amar nossos inimigos. Ele disse: *Amai a vossos inimigos*. Como isso se realiza? *Bendizei os que vos maldizem, fazei bem aos que vos odeiam e orai pelos que vos maltratam e vos perseguem* (Mt 5.44, ARC). Então prepare o seu coração, a sua boca e o seu espírito para amar! Você precisará deles para bendizer, fazer o bem e orar pelos seus inimigos.

Teste a sua própria natureza generosa procurando alguém que é mau para você. Escolha alguém que difamou ou magoou você ou a sua família de alguma forma. Peça que Deus lhe dê força para seguir o modelo de amor e bondade de Jesus. Então abençoe essa pessoa verbalmente, falando de forma positiva sobre ela. Dê-lhe algo pessoal e de valor para você, como perdão de coração. E ore por ela, pelo seu sucesso e pelo seu relacionamento com Deus. Quando você faz essas coisas com um coração cheio de amor, Deus é honrado e você reflete o coração generoso de Jesus.

## Dá aos pobres e segue Jesus

Você compreende que o nível de generosidade de uma pessoa indica o seu nível de comprometimento com Cristo? Jesus conheceu dois homens rumo ao fim do seu ministério de mais de três anos. O primeiro (consulte Mateus 19.16-22), um jovem rico, indicava que queria seguir Jesus e perguntou o que era necessário para que isso acontecesse. A resposta de Jesus? *Vende tudo o que tens e dá-o aos pobres; e terás um tesouro no céu; depois vem e segue-me* (v. 21). O encontro termina com o jovem se retirando desapontado, porque *possuía muitos bens* (v. 22).

O segundo homem que Jesus conheceu foi Zaqueu (consulte Lucas 19.1-9). Assim como o jovem rico, Zaqueu queria ver Jesus. Quando Jesus detectou Zaqueu e se convidou para ir à casa dele jantar, Zaqueu declarou: *Vê, Senhor, darei aos pobres metade dos meus bens, e, se prejudiquei alguém em alguma coisa, eu lhe restituirei quatro vezes mais* (v. 8). Ele se ofereceu de forma voluntária para dar metade de suas posses e riquezas aos pobres. E, se tivesse prejudicado alguém em alguma coisa, restituiria quadruplicado!

Os dois homens estavam buscando e queriam seguir Jesus. Em reposta, Jesus ofereceu ao primeiro homem um teste rápido para mensurar a verdadeira natureza do seu coração. O resultado? Ele não estava disposto a partilhar do seu dinheiro. O segundo homem, contudo, reagiu com generosidade superabundante sem que lhe tenha sido pedido, revelando um compromisso verdadeiro de seguir Jesus.

Sabemos que a generosidade não é necessariamente um indicador de um relacionamento com Jesus. Há muitas pessoas caridosas no mundo que não são cristãs. Mas aquelas que têm paixão por Jesus e desejam sinceramente segui-lo são generosas — como ele! Ele nos instruiu: *Buscai primeiro o seu reino e a sua justiça, e todas essas coisas vos serão acrescentadas* (Mt 6.33). Lamentavelmente tendemos a entender de trás para a frente. Buscamos primeiro as "coisas" e acrescentamos Jesus como consideração posterior.

### ◆ Refletindo em seu coração

Se você está sentindo a necessidade de uma reestruturação de prioridades, olhar o canhoto do seu talão de cheques ou o demonstrativo mensal do seu cartão de crédito bradará o que você está buscando — as coisas, ou as coisas de Deus. Dê uma olhada. É um pouco parecido com verificar a temperatura. Veja o que isso revela sobre o seu nível de compromisso com as coisas *versus* as coisas que Jesus valoriza. O que isso expõe sobre a sua atitude de coração com relação ao dinheiro, aos bens e à generosidade?

## Ajuntai tesouros no céu

Quando Jesus pregava o seu famoso Sermão do Monte, falou a seus discípulos e à multidão reunida, contrastando a vida do reino com a vida do mundo. O mundo, ele destacou, é obcecado por acumular riquezas terrenas de forma egoísta. Mas a seus seguidores Jesus ensinou uma filosofia diferente, que permanece ainda hoje. Ele disse: *Não ajunteis tesouros na terra, onde traça e ferrugem os consomem, e os ladrões invadem e roubam; mas ajuntai tesouros no céu [...]. Porque onde estiver teu tesouro, aí estará também teu coração* (Mt 6.19-21).

Jesus contrastou os valores celestiais com os terrenos. Explicou que nossa primeira lealdade deveria ser às coisas que não corroem e não podem ser roubadas. Como podemos ter certeza de que nossos investimentos são seguros? Jesus disse que deveríamos investir nas coisas de Deus. O que é dado para Deus e os seus propósitos é um investimento no céu, nas coisas que têm importância numa escala eterna. Não importa o que acontece com o mercado de ações, com o mercado imobiliário ou com o mercado de alimentos. Toda e qualquer coisa investida com Deus terá valor eterno! Esse é o investimento máximo. A sua generosidade é a cura para o egoísmo. É a salvaguarda máxima contra a tentação de juntar dinheiro de forma egoísta, que não ajuda a ninguém, e pode ser roubado ou desaparecer durante os períodos de baixa nos mercados de ações e imóveis.

A declaração final de Jesus no versículo 21 — *Onde estiver teu tesouro, aí estará também teu coração* — é um princípio-chave a lembrar e memorizar. Ele destaca que, seja o que for que ocupe nossos pensamentos e tempo, é nisso que estarão nossas afeições.

Talvez, enquanto esses ensinamentos de Jesus estão ecoando em seu coração e em sua mente, seja um bom momento para novamente avaliar quanto você ama os tesouros deste mundo — o seu dinheiro, a sua casa, o seu carro, as suas posses. Onde exatamente está o seu coração? Quanto você está se apegando às suas riquezas? Você pode viver sem elas? Se não consegue abrir mão de alguns desses tesouros, você não os possui — eles é que possuem você. Peça que Deus a ajude. Peça que ele exponha qualquer área pessoal de materialismo. O que você pode dar de presente ou colocar em uso que ajudaria alguém e ao mesmo tempo demonstraria a você mesma e a Deus que o seu coração — e, por consequência, o seu tesouro — está no céu?

## ◆ Refletindo o coração de Jesus

Você consegue imaginar ter tudo e ainda estar disposta a desistir de tudo? Bem, esse é o modelo apresentado na vida de Jesus a você e a mim. Se você quer refletir o coração de Jesus e espelhar o caráter dele, então a generosidade é algo imprescindível. É verdade que ninguém pode dar mais que Deus e, se você é uma filha de Deus, deveria desejar dar, e dar generosamente aos outros. É como Jesus disse a seus discípulos: *De graça recebestes, de graça daí* (Mt 10.8).

Pense em todas as bênçãos que Deus derramou sobre você. A salvação. O perdão do pecado. A promessa de vida eterna. Você deveria dar livremente, como Jesus instruiu aos doze — não somente suas posses e o seu dinheiro, mas o seu tempo, a sua ajuda, o seu ministério, a sua misericórdia e, acima de tudo, o seu amor.

## Uma oração

*Senhor Jesus, obrigada porque deste o presente máximo quando te sacrificaste para pagar por meus pecados. Que eu também me torne uma doadora generosa sem motivos e preocupações, somente com o desejo de te seguir e abençoar os outros. Amém.*

dia 11

# Manso

Quando as empresas de cigarros ainda tinham permissão para fazer propaganda na televisão, uma empresa americana lançou um apelo às mulheres usando o *slogan*: "Você chegou longe, querida!" Com essas palavras, a empresa estava sugerindo que as mulheres estavam prontas para se "engajar" e adotar o hábito de fumar. Bem, pesquisas mostram agora quais poderiam ser os resultados físicos para as mulheres que sucumbiram àqueles anúncios. É só ler o alerta do Ministério da Saúde impresso em cada embalagem de cigarros!

Lamentavelmente, as mulheres também abraçaram o *slogan* "Você chegou longe, querida!" para outras áreas da vida. Algumas tomaram uma atitude de rebeldia e rivalidade. Outras se tornaram mais assertivas, agressivas, francas, autossuficientes e egocêntricas. Como vivemos num mundo que encoraja o egocentrismo e a arrogância pretensiosa, devemos ser extremamente cuidadosas para não abrir mão da mansidão que Deus deseja em nós. Temos que estar em guarda para não trocar um espírito gentil incrivelmente belo por uma dureza nociva que é qualquer coisa, menos bela.

◆ Jesus nos mostra o caminho

Antes de recorrer a Jesus, vamos definir "mansidão". Para começar, não tem nada a ver com ser mulher. É uma qualidade que todo cristão deve exibir. É uma faceta, já que só há o fruto do Espírito, mostrando evidência de que o crente está caminhando em sincronia com Deus. O mundo vê a mansidão como sinal de fraqueza. Mas, na realidade, a mansidão é como uma moeda de dois lados. Um lado transmite a ideia de suavidade, humildade ou modéstia. Ela possui paciência e uma atitude de esperar para ver enquanto calma e tranquilamente olha para os fatos de cada situação de maneira controlada. Mas, quando viramos a moeda, descobrimos que a mansidão requer a firmeza do domínio próprio, da força sob controle. Ela demanda nervos de aço. Tem o poder de resistir à provocação e ao sofrimento. A mansidão, em essência, "aguenta" seja o que for. É o poderoso oposto da arrogância autossuficiente ou da assertividade descarada.

Ao se aproximar de outra qualidade, hoje, não é surpresa que Jesus seja o exemplo máximo de mansidão. Dê uma olhada na mansidão dele agora.

### Tomai sobre vós o meu jugo

Durante os seus anos de ministério, Jesus viu em primeira mão os fardos religiosos que os líderes judeus estavam colocando sobre o povo. Tocado pela condição deles, Jesus ofereceu alívio ao povo desses fardos se este fosse a ele. Em contraste com as severas demandas do sistema de trabalhos religiosos, Jesus se descreveu como manso. Ele convidou as massas aflitas, dizendo: *Vinde a mim, todos os que estais cansados e sobrecarregados, e eu vos aliviarei. Tomai sobre vós o meu jugo e aprendei de mim, que sou manso e humilde de coração; e achareis descanso para a vossa alma. Porque o meu jugo é suave, e o meu fardo é leve* (Mt 11.28-30).

### ◆ Refletindo em seu coração

Você está exausta de carregar os fardos pesados que resultaram da tentativa de fazer as coisas por conta própria, ou de ir atrás da vontade e dos conselhos dos outros? A sua autossuficiência tem rendido resultados nada satisfatórios? Os seus métodos ousados e assertivos de lidar com a vida e com as pessoas estão saindo pela culatra? Seja qual for o fardo, Jesus oferece alívio ao trocar os seus métodos de gerenciar a vida pela tranquilidade que vem de unir-se a ele. Quando estiver debaixo do jugo dele, você desfrutará da paz que a dependência mental dele traz ao coração. Quando fizer essa troca e se juntar a Jesus, você encontrará descanso para a sua alma e dos fardos da vida. Caminhar pela vida com Jesus, amá-lo e servi-lo não é um fardo, pois ele é manso e o seu fardo é leve.

## Eis que o teu Rei vem

Jesus gastou três anos humildemente ministrando ao povo da Palestina e dos arredores. No tempo certo chegou finalmente o dia em que começou a se aproximar de Jerusalém e da sua morte. Conforme o Rei dos reis e Senhor dos senhores entrava em Jerusalém, Mateus escreveu (citando uma profecia do Antigo Testamento): *Eis que o teu Rei vem a ti, humilde e montado num jumento, num jumentinho, cria de animal de carga* (Mt 21.5).

Pense nisso: Cristo apareceu em Jerusalém, a cidade de Sião, não em sua glória, mas em humildade. Não em sua majestade, mas em misericórdia. Não para conquistar, mas para trazer salvação aos pecadores. Mansidão e pobreza exterior eram qualidades identificadoras do Rei de Sião e caracterizavam o seu ministério. Jesus poderia ter se afirmado a qualquer momento. Ele poderia ter exigido respeito, lealdade e tratamento digno de um rei. Ele poderia ter entrado de forma estrondosa na cidade, como rei e triunfante conquistador numa carruagem coberta de ouro, com divisões de soldados marchando atrás dela. Ainda assim, Jesus escolheu fazer a sua entrada em Jerusalém em humildade, em cima de jumento emprestado.

### ◆ Refletindo em seu coração

Ao contrário da multidão que saudou Jesus em Jerusalém, que o viu como um tipo de herói folclórico em vez de Messias e salvador, você conhece o verdadeiro Jesus. Isso deveria motivá-la a níveis mais altos de louvor e adoração ardorosos. Se você tem um relacionamento genuíno com Jesus, certifique-se de que os seus momentos de adoração, quer públicos quer privados, comuniquem de forma apropriada e respeitosa o seu amor e adoração pelo seu salvador. Espere ansiosamente pelo tempo na presença dele. Seja fiel em comparecer à igreja e à sua hora silenciosa. Dê as boas-vindas ao seu momento de adoração. Dê-lhe o tratamento do tapete vermelho, com louvor, adoração e celebração. Receba-o com alegria e celebre o seu Rei.

### ◆ Outros nos mostram o caminho

#### ELE PROSTROU-SE COM O ROSTO EM TERRA

*Moisés, o servo de Deus* — Quando você pensa em Moisés, talvez não pense imediatamente em mansidão. Isso porque Moisés era um líder de líderes e encarregado de mais de dois milhões de pessoas. Essa massa de gente estava constantemente murmurando, resmungando e reclamando. Ainda que eles tivessem uma vida miserável, de opressão como escravos no Egito, decidiram que estar no Egito era muito melhor do que seguir Moisés e vagar pelo deserto. A despeito dessa atitude revoltosa, Moisés os liderou até as fronteiras da Terra Prometida. Como ele realizou essa tarefa quase impossível enquanto era confrontado, acusado, difamado e criticado por um grupo obstinado, por quarenta anos? Em quatro ocasiões distintas quando a sua liderança foi questionada, aprendemos que:

MANSO 107

- Moisés *clamou ao* Senhor (Êx 15.25);
- Moisés *clamou ao* Senhor (Êx 17.1-4);
- Moisés *e Arão prostraram-se com o rosto em terra* (Nm 14.5)
- *Quando Moisés ouviu isso* [da completa rebelião contra ele], *prostrou-se com o rosto em terra* (Nm 16.3,4).

Moisés não argumentava, brigava ou tentava se defender, caso o povo reclamasse, se rebelasse ou injustamente o acusasse. Não, ele exibia mansidão enquanto atacado. Ele persistia com paciência. Tolerava suas ofensas em silêncio e clamava ao Senhor em público. Moisés "levava do povo"... e então levava a Deus, apelando e esperando que Deus viesse ao seu resgate.

Em Moisés vemos a graça da mansidão experimentada. Ele recebia acusações e críticas e não fazia nada, confiando tudo ao cuidado de Deus. Quando Deus avaliou o coração de Moisés, testificou que *Moisés era um homem muito humilde, mais do que todos os homens que havia sobre a terra* (Nm 12.3). Temos uma lição enorme a aprender com Moisés: Quando injustiçadas ou mal compreendidas, *humilhai-vos sob a poderosa mão de Deus, para que ele ao seu tempo vos exalte* (1Pe 5.6).

## Cumpra-se em mim a tua palavra

*Maria, a serva do Senhor* — Em Maria, mãe de Jesus, encontramos outro exemplo inspirador de mansidão. Quando o anjo Gabriel disse a Maria que ela teria um bebê que seria o Messias, qual foi a reação dela? Ela se submeteu ao plano de Deus, dizendo *Aqui está a serva do Senhor; cumpra-se em mim a tua palavra* (Lc 1.38). Pelos próximos 33 anos enquanto Jesus andava na terra, Maria suportou silenciosamente a sombra da dúvida que a sua obediência à vontade de Deus lançou sobre a sua reputação (Jo 8.41). Só depois da ressurreição do filho de Deus, essa nuvem que pairava sobre a vida de Maria se dissipou.

## ◆ Mansidão e a sua caminhada com Jesus

Você está compreendendo quanto a mansidão é importante? É um elemento essencial em sua caminhada com Cristo. Ao olhar mais adiante o que a Bíblia diz a respeito da mansidão, penso que você concordará que, quando exibe mansidão ou humildade, você reflete Jesus.

- *A mansidão é a chave para a vida abundante* — Bem-aventurados os humildes, pois herdarão a terra (Mt 5.5).
- *A mansidão pode trazer paz em vez de discórdia* — Note estes contrastes: *A resposta branda* [mansa] *desvia o furor, mas a palavra dura provoca a ira* (Pv 15.1) e *O homem que se irrita com facilidade provoca conflitos, mas o paciente apazigua brigas* (v. 18). Uma atitude mansa apazigua a situação e torna mais fácil resolver o problema pacificamente.
- *A mansidão mostra consideração pelos outros ainda que a confrontação seja necessária* — Se alguém for surpreendido em algum pecado, vós, que sois espirituais, deveis restaurar essa pessoa com espírito de humildade (Gl 6.1). A mansidão busca a restauração em vez de açoitar o irmão ou a irmã em Cristo que está em pecado.
- *A mansidão é um reflexo do amor* — *Com toda humildade e mansidão, com paciência, suportando-vos uns aos outros em amor* (Ef 4.2). Um espírito manso vai longe para preservar a unidade do corpo de Cristo.
- *A mansidão é uma das características que definem o cristão* — *Então, como santos e amados eleitos de Deus, revesti-vos de um coração cheio de compaixão, bondade, humildade, mansidão e paciência* (Cl 3.12).
- *A mansidão é paciente com os que se opõem* — *Ao servo do Senhor não convém discutir, mas, pelo contrário, deve ser amável para com todos, apto para ensinar, paciente, corrigindo com mansidão os que resistem* (2Tm 2.24,25).

MANSO 109

- *A mansidão é confiante, ainda que respeitosa* — Estai sempre preparados para responder a todo o que vos pedir a razão da esperança que há em vós. Mas fazei isso com mansidão e temor (1Pe 3.15,16).
- *A mansidão marca a pessoa que é submissa à Palavra de Deus* — Por isso, livrando-vos de todo tipo de impureza moral e vestígio de maldade, recebei de boa vontade a palavra em vós implantada (Tg 1.21).
- *A mansidão numa mulher é preciosa aos olhos de Deus* — O que vos torna belas não deve ser o enfeite exterior, [...] mas sim o íntimo do coração, com um espírito gentil e tranquilo, que não perece e tem muito valor diante de Deus (1Pe 3.3,4).

A mansidão é como um adorno que você usa. Não é algo que pode ser visto como a roupa, mas um enfeite do coração. Quando usada, a mansidão não causa qualquer perturbação. E, quando colocada junto de um "espírito gentil", significa que a mulher de Deus não cria perturbações e não reage às perturbações criadas pelos outros.

## ◆ Refletindo o coração de Jesus

Não importa como a sociedade ou as pessoas ao seu redor considerem a mansidão, ela é uma atitude elegante, poderosa e elevada à semelhança de Cristo. Para refletir essa qualidade preciosa aos olhos de Deus, primeiro deseje-a com todo o seu coração. Então use cada oportunidade para suportar maus-tratos e mal-entendidos com tranquilidade. Assim como Moisés, prostre o seu rosto em terra diante de Deus e espere que ele aja a seu favor. Em oração, busque a sabedoria dele para cada ação. Confie no Senhor para a proteger e guiar, e capacitá-la com a sua graça para reagir às provações com a mansidão de Jesus.

## Uma oração

Senhor Jesus, que eu aceite o que acontece em minha vida como parte do teu propósito por meio da tua graça. Que eu me submeta com mansidão a cada situação sem reclamar. Que eu me abstenha de tentar manipular minha saída dos problemas. Que eu me lembre de confiar em ti e contar com teu amor. Obrigada porque cada dificuldade tratada com mansidão me torna mais como o Senhor. Amém.

# dia 12

# Bom

"Eles são gente boa" não é algo que você costuma ouvir falar sobre muitas pessoas, não é mesmo? A bondade, como a maior parte das qualidades que estamos admirando na vida do nosso querido salvador, parece ser menos importante em nossa sociedade ao tendermos a centralizar nossa atenção no que está em primeiro lugar, nós mesmos. Infelizmente, as notícias constituem-se na maioria das vezes de histórias que a Bíblia descreve como "obras da carne" (consulte Gálatas 5.19-21). Talvez seja por isso que o Canal Rural costuma ser minha primeira opção ao assistir à TV!

Mas nem tudo está perdido. Ainda existem pessoas boas neste mundo que estão ativamente andando por toda parte fazendo o bem. Se você está lendo este livro sobre o caráter semelhante ao de Cristo, é provável que esteja interessada na bondade. Assim como outras qualidades que temos admirado através deste livro, a bondade é contagiosa. Toda e qualquer coisa que você ou eu fazemos estabelece um exemplo para os outros. Cada boa ação é como uma pedra jogada num reservatório de água. As ondulações criadas por essa única pedra se espalham por todo o corpo d'água. Então jogue a sua bondade na piscina da vida e observe as ondulações se espalharem!

# 112 UMA MULHER QUE REFLETE O CORAÇÃO DE JESUS

## ◆ Deus nos mostra o caminho

Deus é um grande Deus. Mas, se grandeza fosse o seu único atributo, ele poderia concebivelmente ser um ser imoral ou amoral, exercendo o seu poder e conhecimento de modo impulsivo e cruel. Houve muitos reis e governantes através dos séculos que eram grandes, mas também cruéis e vingativos. Mas, quando entendemos que Deus é também um Deus bom, adicionamos moralidade ao seu ser. Qualquer coisa que Deus faz só pode ser boa porque é isso que ele é. É a sua própria natureza.

Quando Moisés, o servo de Deus, quis saber mais sobre o Deus a quem deveria apresentar ao povo, pediu a Deus: *Rogo-te que me mostres tua glória* (Êx 33.18). Antes que Deus passasse por Moisés, fez esta declaração: *Farei passar toda minha bondade diante de ti* (v. 19). Então, conforme Deus passava diante de Moisés, ele proclamou: SENHOR, SENHOR, *Deus misericordioso e compassivo, tardio em irar-se e cheio de bondade e de fidelidade* (34.6).

Deus transborda em bondade. Toda a sua atividade é unicamente boa. Portanto, seja o que for que ele permitir que aconteça em nossa vida, pode ser classificado unicamente como bom. Como Deus, ele não poderia permitir que fosse de outra forma. O apóstolo Paulo entendeu esse conceito da bondade de Deus quando escreveu que os crentes no filho de Deus podem saber *que Deus faz com que todas as coisas concorram para o bem daqueles que o amam, dos que são chamados segundo o seu propósito* (Rm 8.28).

## ◆ Jesus nos mostra o caminho

Porque Deus Pai é moralmente bom e pode fazer somente o bem, sabemos que o seu único filho, Jesus, também é bom e pode fazer somente o bem. Ouça agora enquanto ele ensina sobre a bondade.

## Bom Mestre, que bem farei?

Já cruzamos com esse jovem antes, em seu encontro com Jesus. Mas dessa vez perceba como o jovem rico se dirige e se refere a Jesus. Quando se aproximou do Senhor, ele disse: *Bom Mestre, que bem farei, para conseguir a vida eterna?* (Mt 19.16, ARC). O jovem rico queria saber que boa obra poderia demonstrar que ele era reto e, portanto, o qualificaria para a vida eterna. Jesus replicou: *Por que me chamas bom? Não há bom, senão um só que é Deus* (v. 17).

Talvez Jesus esperasse então uma resposta do jovem para ver se ele afirmaria a sua crença de que Jesus era Deus. Lamentavelmente, o rapaz ainda estava recorrendo às suas "boas obras" para entrar no céu e deixou passar a verdadeira fonte da bondade — a salvação por meio de Jesus Cristo.

## Senhor, queres que mandemos descer fogo?

Ao entrarmos nessa cena, compreenda que, ao contrário da nossa natureza carnal, Deus não é cruel nem vingativo. Jesus, assim como o seu Pai, é capaz de fazer somente o bem. Nele o mal não existe. A bondade de Jesus e a maldade do homem estão ilustradas em Lucas 9.51-56. Aqui está o que aconteceu: Jesus e os seus discípulos estavam firmemente seguindo para Jerusalém, onde a cruz e a morte o aguardavam. Eles estavam em marcha, porque *ele manifestou o firme propósito de ir para Jerusalém* (v. 51). Jesus enviou alguns de seus discípulos na frente para fazerem os preparativos para ele numa vila samaritana. Contudo, porque o grupo (sendo de judeus) estava viajando rumo a Jerusalém, o povo da cidade (que não era judeu) lhe recusou qualquer forma de hospitalidade.

Bem, essa desfeita ao Senhor foi levada a sério pelos discípulos! Especialmente por Tiago e o seu irmão João. Já os encontramos antes nessa mesma situação, mas aqui os vemos vivenciando o nome que Jesus deu a esses dois irmãos

— *Boanerges, que significa filhos do trovão* (Mc 3.17). O tratamento hostil dado a Jesus era uma questão tão grave para eles que reagiram e perguntaram a Jesus: *Senhor, queres que mandemos descer fogo do céu para os consumir?* (Lc 9.54).

Qual foi a resposta de Jesus? *Ele, porém, voltando-se, repreendeu-os: Vós não sabeis de que espírito sois. Pois o filho do homem não veio para destruir a vida dos homens, mas para salvá-la* (v. 55,56).

Em Jesus vemos a bondade em oposição ao espírito agressivo e crítico dos discípulos. Jesus demonstrou do que se trata a bondade — não destruindo os outros, não importa quanto a tratem mal, mas, ao invés disso, ajudando-os e amando-os. Pense nisto: Jesus é quem havia sido rejeitado, e não os discípulos. Além disso, ele tinha o poder para se vingar. Ele de fato poderia ter mandado descer fogo! Mas decidiu não retaliar. Em vez disso, demonstrou amor. Ele queria o que era melhor para a vila samaritana, não importando como o trataram e a seus discípulos.

Aqui vai mais uma percepção: a bondade de Jesus o manteve seguindo para Jerusalém por aquelas mesmas pessoas, os samaritanos, e todos aqueles como eles, que o haviam rejeitado.

## ◆ Refletindo em seu coração

Você já adotou — ou pensou em adotar — a mesma abordagem que esses discípulos orgulhosos? Quando você é rejeitada, repudiada ou ignorada, leva para o lado pessoal e permite que os seus sentimentos sejam feridos? Você ataca? Você imagina ou bola alguma forma criativa de revidar àqueles que a desrespeitam, desconsideram ou prejudicam? É tão natural e fácil reagir assim e adotar a abordagem do "olho por olho", não é mesmo? Mas o que você deveria fazer em vez disso quando é injustiçada ou tratada com maldade? Uma forma pela qual você pode reagir é seguir o exemplo de Jesus e não fazer nada. Então, enquanto não estiver fazendo nada, você pode orar. Tome tempo para refletir sobre a forma com que Deus trata aqueles que causam angústia. A espécie de bondade de Deus não irá à desforra contra o mal, mas, em vez disso, encontrará formas de mostrar amabilidade. Apenas pense: Cada ato mau ou cruel praticado contra você é uma oportunidade para você refletir Jesus, exibir esplendidamente uma reação semelhante à do Senhor e compartilhar a bondade de Deus.

## QUANDO DERES ESMOLA

Você se sente bem quando faz algo significativo? Quando você está envolvida em fazer algo bom, simplesmente parece que o seu dia se torna um pouco mais brilhante, não é mesmo? Normalmente não queremos — e não deveríamos querer — ou desejamos reconhecimento por fazermos uma boa ação. Mas de quando em quando é genuinamente revigorante quando você é reconhecida por algum ato de bondade. Afinal de contas, palavras de encorajamento e um tapinha nas costas fornecem combustível para ir ao encontro da próxima necessidade. Mas continue lendo para obter uma palavra de alerta de Jesus.

Os líderes judeus nos dias de Jesus faziam muitas boas obras. Havia somente um problema: a maior parte de suas boas obras era feita com o desejo de serem notados e elogiados pelos outros. Eles queriam ouvir quanto eram magníficos e quanto os seus feitos eram formidáveis. Mas, ao buscarem a recompensa do louvor dos outros, eles perderam a real recompensa, a que vem somente de Deus. Jesus chamava esse tipo de pessoas de hipócritas e falou a seus seguidores — e a você e a mim — como realizar boas ações. O conselho dele? *Quando deres esmola, a tua mão esquerda não saiba o que faz a direita; para que a tua esmola fique em segredo; e teu Pai, que vê o que é secreto, te recompensará* (Mt 6.3,4). E isso é uma promessa!

## ◆ Refletindo em seu coração

Fazer o bem é uma boa coisa pela qual se esforçar. Quando você fizer uma boa ação, louve a Deus pelo sentimento extraordinário que isso traz ao seu coração. Se receber o louvor dos outros, veja isso como bênção adicional. Mas mantenha o seu foco nas pessoas que está ajudando, e não no que pode ganhar para você mesma. Coloque o seu coração no louvor que a aguarda no céu. Esta é a recompensa eterna pela qual você está esperando: *Muito bem, servo bom e fiel* (Mt 25.23).

## ◆ Bondade e boas obras

Quando nos dedicamos a ajudar os outros a viverem melhor, a bondade de Jesus é ativada. Então, quando vemos uma oportunidade para ajudar os outros, sua bondade entra em ação. Essa é a bela forma pela qual Deus quer que vivamos. Ele nos chama, como suas filhas, para a bondade e as boas obras.

- ◆ As mulheres mais velhas devem ser modelos de bondade em seu comportamento, no seu falar e nos hábitos — sendo *reverentes no viver, não caluniadoras, não dadas a muito vinho* (Tt 2.3).
- ◆ As mulheres mais velhas devem ser *mestras do bem* (v. 3).
- ◆ As mulheres mais novas devem aprender sobra a bondade para que sejam capazes de *amar o marido e os filhos, ser equilibradas, puras, eficientes no cuidado do lar, bondosas, submissas ao marido* (v. 4,5).
- ◆ As mulheres devem ser dedicadas à bondade e às boas obras, *cujas boas obras possam lhe servir de bom testemunho, tais como se criou filhos, se exerceu hospitalidade, se lavou*

*humildemente os pés dos santos, se socorreu os atribulados e se praticou todo tipo de boa obra* (1Tm 5.10).

- As mulheres devem colocar ornamentos de bondade. Elas são exortadas a *que se vistam com boas obras* (1Tm 2.10).

## ◆ Trabalhe em fazer o bem

Além do desejo de Deus pela bondade em nosso papel como mulher, esposa e mãe, Deus chama todas as suas filhas a uma vida de bondade e a um ministério de fazer o bem.

- *Trabalhe em fazer o bem — Deus recompensará glória, honra e paz a todo que pratica o bem* (Rm 2.10).
- *Prove o bem — E não vos amoldeis ao esquema deste mundo, mas sede transformados pela renovação da vossa mente, para que experimenteis qual seja a boa, agradável e perfeita vontade de Deus* (Rm 12.2).
- *Agarre-se ao bem — Odiai o mal e apegai-vos ao bem* (Rm 12.9).
- *Vença o mal com o bem — Não te deixes vencer pelo mal, mas vence o mal com o bem* (Rm 12.21).
- *Esforce-se para fazer o bem — Porque os governantes não são motivo de temor para os que fazem o bem, mas sim para os que fazem o mal. Não queres temer a autoridade? Faze o bem e receberás o louvor dela* (Rm 13.3).
- *Siga o bem — Cuidai para que ninguém retribua o mal com o mal, mas segui sempre o bem uns para com os outros e para com todos* (1Ts 5.15).
- *Seja zelosa do bem — Quem vos fará mal, se sois zelosos do bem?* (1Pe 3.13).

## ◆ Refletindo o coração de Jesus

*Jesus [...] andou por toda parte, fazendo o bem* (At 10.38). Essas palavras me inspiram todo santo dia. Eu as recito para mim mesma, fixo-as em meu coração e permito que guiem meus atos por mais um dia. Jesus realizou tanto durante a sua vida, e tudo isso veio da sua bondade!

A Bíblia diz que Jesus é a chave para a nossa bondade (Rm 3.12). Isso significa que a única forma de refletir a bondade de Jesus é chegar perto dele e deixar que o seu caráter passe para você por meio do contato. Fique perto dele até não saber mais de que outra forma caminhar e viver, a não ser saindo por toda parte fazendo o bem!

Então ore diariamente para que a bondade de Cristo flua através de você para os outros. Fique à procura de oportunidades para mostrar a bondade dele em atos de bondade. E, uma vez que você tenha encontrado uma oportunidade ou pensado em algo que poderia melhorar o dia de outra pessoa, não pare! Coloque suas observações e pensamentos bons em ação. Faça tudo que Jesus trouxer à sua mente para melhorar a vida dos outros, para ajudar a aliviar o peso dos fardos que carregam, para encorajar os corações desfalecidos e remover suas dores. Reflita o coração de Jesus agindo com bondade.

## Uma oração

*Bom Mestre, enche minha mente com pensamentos bons sobre todas as pessoas. Ajuda-me a ser menos egocêntrica, para não deixar de perceber aqueles que estão abatidos ou em necessidade. Dá-me a graça para derramar as riquezas da tua bondade da mesma forma liberal que fizeste. Amém.*

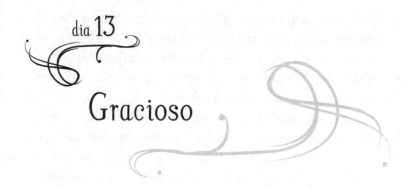

# dia 13

# Gracioso

Eu cresci em Oklahoma, onde os elementos do estilo de vida do sul dos Estados Unidos e a hospitalidade eram uma forma de vida. As mães do meu círculo de amigas, na maior parte, eram socialmente graciosas em aparência e comportamento. Suas festas e reuniões eram retratos da elegância. Acredite, minhas amigas e eu fomos cuidadosamente ensinadas e educadas por nossas mães para sermos graciosas e praticarmos a boa etiqueta, especialmente quando estivéssemos em público. Nossa graciosidade foi o comportamento apropriado aprendido. E, porque foi externamente induzido por nossos pais, poderia ser ligado e desligado como uma luminária. A graciosidade se tornou um ato que usávamos quando era requerido, esperado ou benéfico para conseguir algo que queríamos.

Assim como eu, qualquer uma pode ser treinada para ser graciosa. Mas, quando me tornei cristã, percebi que a graciosidade bíblica verdadeira é uma atitude do coração. Não é algo que queremos ligar e desligar, mas algo pelo que queremos viver, algo que queremos incorporado de forma perceptível ao âmago do nosso ser.

◆ **Jesus nos mostra o caminho**

Jesus. Só de falar o seu nome, a palavra "graça" salta em minha mente e talvez na sua também. Jesus era gracioso, caridoso, generoso e estendia a maravilhosa graça da sua salvação aos pecadores. Ao chegarmos até essa "maravilhosa" virtude em nossa caminhada pela vida e qualidades de caráter de Jesus, não é de admirar que a encontremos vivenciada de forma completa e perfeita por nosso Senhor.

Uma pessoa graciosa, em nossa cultura, é alguém que mostra respeito, honra e gentileza aos outros. Nos tempos da Bíblia, uma pessoa graciosa era normalmente uma pessoa de posição superior e de poder que mostrava favor e misericórdia a alguém em posição inferior, com pouco ou nenhum poder. Por exemplo: no Antigo Testamento, o oficial egípcio Potifar tratou graciosamente o seu escravo José; a desafortunada Rute encontrou favor aos olhos de Boaz; a judia Ester foi tratada com respeito pelo rei Assuero.[1] E Deus, que foi gracioso para com a humanidade, descreve-se como SENHOR, *Deus misericordioso e compassivo* (Êx 34.6).

No Novo Testamento, a graça de Deus é uma manifestação do seu amor. A graça é o meio que Deus usa para lidar com o seu povo, não baseado no mérito, na dignidade ou no comportamento deles, mas por causa da bondade e generosidade dele. A graça descreve tudo que Deus fez em favor de você e de mim por meio de Cristo.[2]

Ao olharmos para Jesus, vemos que o filho de Deus, a própria imagem do Pai, possuía graciosidade e se conduzia com comportamento gracioso em todos os momentos enquanto estava na terra. Os cenários a seguir da vida dele destacam a sua forma graciosa com as pessoas. Você verá alguns indivíduos com quem já se encontrou antes neste livro, mas desta vez estamos examinando a graça de nosso Senhor para com as pessoas como você e eu.

---

[1] Gênesis 39.4; Rute 2.10; Ester 2.17; 5.2.
[2] Consulte Romanos 5.2; Efésios 2.8.

### Todos admiraram-se das palavras de graça

Jesus era um mestre, e um mestre deve ensinar. A Bíblia relata que numa ocasião *entrou na sinagoga no dia de sábado, segundo o seu costume, e levantou-se para fazer a leitura* (Lc 4.16). Depois de ler as Escrituras, Jesus se sentou para ensinar os seus ouvintes o que a passagem queria dizer. Qual foi a reação daqueles que o ouviram naquele dia? *Todos o aprovavam e, admirando-se das palavras de graça que saíam da sua boca* (v. 22).

O ministério de Jesus era caracterizado pela graça. Suas palavras eram tanto gentis quanto sábias. Ele não praticava a bajulação nem o uso de exageros. Suas palavras não eram meramente apelativas. Em vez disso, falava a verdade com autoridade porque falava as palavras de Deus.

### ◆ Refletindo em seu coração

Como mulher cristã que apresenta Jesus aos outros, a fonte do seu discurso é o seu próprio coração. Então, se você anda pelo Espírito de Deus, o amor, a paciência, a bondade, a benignidade, a mansidão e o domínio próprio dele estão presentes. Então a sua escolha de palavras fará essas qualidades divinas evidentes. Uma forma crucial para ser graciosa no falar é seguir a diretriz de Paulo: *Não saia da vossa boca nenhuma palavra que cause destruição, mas só a que seja boa para a necessária edificação, a fim de que transmita graça aos que a ouvem* (Ef 4.29).

### Você está atarefada com muito serviço

Pobre Marta! Como está escrito em Lucas 10.38-42, você verá que Marta definitivamente perdeu o controle. De acordo com esse breve esboço, ela abriu a sua casa para Jesus e os seus doze discípulos de forma graciosa. Servir e hospedar esse grande grupo dava muito trabalho! Inicialmente a sua irmã, Maria, a ajudava. Mas, quando Jesus começou a ensinar, Maria ficou

UMA MULHER QUE REFLETE O CORAÇÃO DE JESUS

plantada aos pés dele e ficou toda ouvidos. Bem, Marta perdeu a calma... e as boas maneiras. Ela irrompeu na sala, interrompeu o mestre, caluniou Maria e importunou o Senhor, acusando-o de não se importar.

Uau! Você não se sente envergonhada por Marta? Como Jesus reagiu à impaciência e frustração dela, além da atitude e do discurso condenatórios? Jesus respondeu: *Marta, Marta, estás ansiosa e preocupada com muitas coisas; mas uma só é necessária; e Maria escolheu a boa parte, e esta não lhe será tirada* (Lc 10.41,42).

Jesus poderia ter tratado Marta com aspereza. Ela certamente merecia a reprimenda. Mas esse não era o estilo de Jesus. Ele graciosamente falou o nome dela duas vezes, reconheceu suas preocupações com o preparo da refeição e o desejo de que ele e os discípulos se sentissem bem recebidos e cuidados. Mas ele também a avisou de que ela tinha perdido o foco da sua doação e do seu serviço. Jesus queria lhe mostrar de forma gentil as verdadeiras prioridades, a "boa parte" que ela estava perdendo — conhecê-lo, ouvi-lo e adorá-lo.

## ◆ Refletindo em seu coração

Qual o seu nível de paciência quando alguém perde o foco da sua comunicação ou não dá atenção à sua necessidade... ou não enxerga o todo? Quanto você é graciosa com essas pessoas? E os seus filhos, quando parecem não dar ouvidos a você nem às suas instruções? Você pode se zangar ou se chatear. Você pode esbravejar e discutir. Você pode atacar os outros com as suas palavras. E pode, quanto quiser, racionalizar suas ações. Mas você deve lidar com essas situações do dia a dia à maneira de Cristo — com graciosidade. Mostre paciência e benignidade àqueles que não estão com o mesmo foco que você, ou que não pegaram bem o todo. Siga o exemplo de Jesus e a exortação de Paulo: *não devem difamar ninguém, nem ser dados a brigas, mas equilibrados, mostrando genuína mansidão para com todos* (Tt 3.2). Seja graciosa.

## QUE QUEREIS QUE EU VOS FAÇA?

Compaixão e misericórdia são atitudes similares à graciosidade. A pessoa graciosa normalmente é compassiva, e uma pessoa compassiva normalmente é graciosa. Jesus mostrou essas duas atitudes em conjunto enquanto passava por Jericó a caminho de Jerusalém e sua entrada triunfal na cidade. Conforme ia saindo de Jericó, dois mendigos cegos chamaram Jesus enquanto passava.

> *E a multidão os repreendia para que se calassem; eles, porém, clamavam ainda mais alto: Senhor, filho de Davi, tem compaixão de nós. Jesus então parou, chamou-os e perguntou: Que quereis que eu vos faça? Eles lhe disseram: Senhor, que nossos olhos sejam abertos. Comovido, Jesus tocou os olhos deles; e eles imediatamente passaram a ver e o seguiram* (Mt 20.31-34).

Jesus curou inúmeros cegos durante o seu ministério de três anos. Cegos e doentes não pararam de vir até ele, e não existe registro de que tenha recusado que qualquer um se aproximasse dele para receber ajuda. Mas note a graciosidade de Jesus nesse exemplo. A multidão mandou que esses homens necessitados ficassem quietos e parassem de chamar Jesus ao passar por ali. Mas Jesus os ouviu, parou e lhes perguntou o que queriam dele e, então, atendeu ao seu pedido. Ao contrário do povo, ele os tratou de forma graciosa e com respeito. Ele estava cheio de misericórdia e compaixão. Ele estendeu graciosamente a graça de Deus, restaurando-lhes a visão.

## ◆ Refletindo em seu coração

A graça bíblica é definida como favor imerecido de Deus oferecido àqueles que não a merecem. Jesus perguntou a esses homens: *Que quereis que eu vos faça?* Você se acha uma pessoa graciosa? Espero que sim! Caso sim, você está andando no meio da criação de Deus manifestando a graça mesclada com a compaixão e a misericórdia dele. Você está refletindo o grande e gracioso coração de Jesus? Se você precisa de um cutucão da graça, coloque um lembrete para pedir que Deus a ajude a se lembrar de ser graciosa no topo da sua lista de oração diária. Então, quando estiver na rua, você pode perguntar aos outros: "Como posso ajudar você hoje?" Ou pode perguntar a si mesma ao se deparar com outros: "Que favor eu posso fazer a essa pessoa que está comigo agora?" Olhar para os outros pelos olhos do amor resultará em palavras e obras graciosas.

### Eu roguei por ti

Pedro sempre foi visto como líder dos discípulos. Ele é o primeiro da lista toda vez que os discípulos são citados na Bíblia. Ele era o porta-voz do grupo. Jesus até se referiu a Pedro como uma "pedra" (Mt 16.17,18). Não é de admirar que Jesus estivesse contando com Pedro para servir como líder do grupo depois que ele ascendesse ao céu.

Na noite anterior à sua traição, Jesus sabia exatamente o que aconteceria quando ele e os doze deixassem o cenáculo. Ele sabia que Pedro o negaria. Na verdade, Jesus descreveu para Pedro o que iria acontecer. Ele olhou para Pedro e de forma graciosa lhe disse: *Simão, Simão, Satanás vos pediu para peneirá-los como trigo* (Lc 22.31). Isso soa parecido com as observações encorajadoras de Jesus para Marta. Mas então Jesus acrescentou: *Mas eu roguei por ti, para que a tua fé não esmoreça; e, quando te converteres, fortalece teus irmãos (v. 32).*

Jesus nunca desistiu de Pedro, independentemente de quanto ele agisse de forma impetuosa e tola. Jesus, o onisciente, sabia de todas as deficiências de Pedro. Em vez de lavar as mãos e descartar um discípulo imperfeito, Jesus ainda acreditava em Pedro e já tinha orado para que ele se recuperasse desse ataque de fraqueza.

## ◆ Refletindo em seu coração

É sempre bom ter pessoas de quem você pode depender. Elas estão lá quando você precisa delas. E, quanto maior a sua dependência delas, maior a sua expectativa em relação a elas. Você conta com essas pessoas para "fecharem" com você. Mas às vezes elas falham. Como você age (ou reage!) quando alguém a decepciona? Não siga as reações naturais de expressar raiva ou censurar e humilhar o pobre ofensor. Siga o exemplo de Jesus e tente entender de forma graciosa o motivo que levou essa pessoa a decepcioná-la. Olhe além da falha e relembre as razões pelas quais você dependia dessa pessoa no passado, assim como Jesus que viu o potencial de Pedro. E, como Jesus, busque graciosamente restaurar a pessoa à utilidade.

## ◆ A mulher de Provérbios 31 nos mostra o caminho

O escritor da passagem no final do livro de Provérbios falou de uma mulher graciosa e piedosa normalmente indicada como a mulher de Provérbios 31. Ele a descreveu com uma consulta: *Mulher virtuosa, quem a achará? Ela vale muito mais do que joias preciosas* (Pv 31.10). A mulher excelente para Deus, sendo ela casada ou solteira, tem a graciosidade estampada em cada parte da sua natureza.

- O que as pessoas veem quando essa mulher graciosa entra na sala? Qual é a sua conduta? *Força e dignidade são os seus vestidos* (v. 25).
- Qual é a sua atitude com relação aos outros, especialmente aos menos afortunados? *É generosa com o pobre; sim, ajuda o necessitado* (v. 20).
- Qual o seu modo de falar? *Abre sua boca com sabedoria, e o ensino da benevolência está na sua língua* (v.26).
- Qual a chave do seu caráter? *A beleza é enganosa, e a formosura é vaidade, mas a mulher que teme o* SENHOR, *essa será elogiada* (v. 30).

## ◆ Refletindo o caráter de Jesus

Jesus era perfeitamente gracioso. Por causa do seu amor, ele era caloroso, cortês e gentil. Ele não meramente acionava a graciosidade quando precisava e então, tão facilmente quanto, a desligava. Não, Jesus era gracioso por natureza. Ele era gracioso o tempo todo. É assim que você pode refletir o coração de Jesus. Você o reflete quando o seu coração fica cheio do amor dele e os seus lábios transbordam com palavras de graça. Quando você estende o espírito gracioso do Senhor, as pessoas se sentem bem recebidas e cuidadas quando estão na sua presença. E o melhor de tudo, a sua graciosidade atrairá pessoas para Jesus ao serem atraídas pelo reflexo dele em você.

## Uma oração

*Gracioso Senhor, obrigada pela graça maravilhosa e sem igual que me mostras. Teu amor é completamente imerecido e, consequentemente, pleno da tua graça. Por favor, ajuda-me a te amar ainda mais. E, por favor, capacita-me a estender tua graça benigna e genuína aos outros. Amém.*

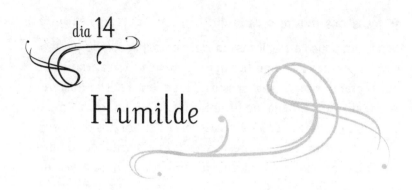

# dia 14

# Humilde

Frequentemente dou aulas sobre o livro de Ester e, como muitas mulheres, eu absolutamente amo a narrativa dessa bela e heroica rainha do Antigo Testamento. Ela não tinha os pais e foi tirada da sua casa por causa de uma diligência pela jovem mais bela de todo o Império Persa. Lá, foi mantida no harém do rei para ser preparada e apresentada a ele como candidata à próxima rainha e esposa do rei, se ele assim a escolhesse.

Uma fonte que encontrei enquanto preparava minhas aulas foi um livro inestimável sobre a vida de Ester, escrito por Charles R. Swindoll. Nesse comentário do livro de Ester, ele escreve assim a respeito da humildade:

> Deus jamais ordenou que "parecêssemos" humildes. A humildade é uma atitude. Uma atitude do coração, do espírito. É conhecer o seu lugar [...] é conhecer o seu papel e cumpri-lo para glória e louvor de Deus.[1]

---

[1] SWINDOLL, Charles R. *Esther: A woman of strenght and dignity*. Nashville: W Publishing Group, 1999, citado em *Great attitudes for graduate* (Nashville: J. Countryman, Thomas Nelson, 2006), p. 160. (Publicado em português sob o título *Ester: uma mulher de sensibilidade e coragem*. São Paulo: Mundo Cristão, 1999.)

128  UMA MULHER QUE REFLETE O CORAÇÃO DE JESUS

## ◆ Jesus nos mostra o caminho

Pense um pouco nisto. Jesus era Deus encarnado, todo-poderoso e onipotente. Isso significa que ele possuía a força criativa e o poder grandioso que o Pai possuía. Ele poderia realizar milagres — e realizou. E um dia, no futuro, usará o seu poder incomparável para governar como Rei dos reis e Senhor dos senhores. Ainda assim, esse é o mesmo Jesus que permanece o tempo todo como exemplo máximo de humildade. A trajetória do serviço humilde de Jesus desde o seu nascimento até a cruz é o padrão que devemos seguir e uma qualidade que devemos refletir. A Bíblia também nos diz:

> *Tende em vós o mesmo sentimento que houve em Cristo Jesus, que, existindo em forma de Deus, não considerou o fato de ser igual a Deus algo a que devesse se apegar, mas, pelo contrário, esvaziou a si mesmo, assumindo a forma de servo e fazendo-se semelhante aos homens. Assim, na forma de homem, humilhou a si mesmo, sendo obediente até a morte, e morte de cruz* (Fp 2.5-8).

Depois de se humilhar para se tornar homem, Jesus ainda se rebaixou ao se recusar a exigir certos direitos humanos na terra. Em vez disso, ele se sujeitou à perseguição e ao sofrimento nas mãos de ímpios cruéis. Além da perseguição, Jesus chegou à expressão máxima da sua humilhação morrendo como criminoso, seguindo em obediência ao plano do Pai para ele.

Ao começarmos hoje a olhar para a humildade de Jesus, considere como essa atitude piedosa deveria se tornar uma qualidade importante na sua vida diária. Como li em minha pesquisa: "Se dizemos que queremos seguir Cristo, devemos também dizer que queremos viver como ele viveu".[2] Sei por

---

[2] *Life Application Bible.* Wheaton, II: Tyndale House, 1988, p. 1825.

experiência que a humildade vai contra tudo na nossa natureza humana. Somos naturalmente pessoas egoístas e egocêntricas que pensam primeiro e primordialmente em nós mesmos. Mas, como o texto bíblico citado anteriormente diz, você e eu devemos *ter em nós* o mesmo sentimento que houve em Cristo Jesus. Aqui estão algumas formas de nutrir a humildade. Todas são extraídas da vida encantadoramente humilde do nosso Senhor e daqueles que o cercavam.

## É NECESSÁRIO QUE EU DIMINUA

Imagine isto. Durante o tempo que Jesus caminhava na terra, João Batista se tornou uma figura imensamente popular em Israel. Não havia um profeta autêntico, enviado por Deus em Israel há mais de quatrocentos anos. Então, quando João apareceu no deserto pregando sermões acalorados e oferecendo o batismo do arrependimento, as pessoas comuns e as marginalizadas da sociedade se aglomeraram para ficar perto dele e ser batizadas. Na verdade, João batizou Jesus! Ainda que mais tarde viesse João dizer de Jesus e do seu ministério: *É necessário que ele cresça e eu diminua* (Jo 3.30).

João demonstrou o foco fundamental da vida e do ministério cristãos: Você e eu não estamos aqui somente para refletir Cristo, mas para exaltá-lo e levar outros até ele. Não somos chamadas para exaltar nosso ministério com orgulho, ou para acumular determinado ministério ou posição à custa da reputação ou utilidade de outra pessoa. Na verdade, deveríamos estar em alerta máximo para não nos permitirmos desenvolver uma atitude orgulhosa, agressiva, com relação a qualquer um na igreja ou no ministério.

A rivalidade invejosa ou amarga é pecaminosa e facciosa. Ela enfraquece a unidade da igreja e leva ao ministério pessoal ineficiente. Portanto, recuse-se a alimentar um espírito competitivo. Quando uma pessoa nova entrar em cena com algo construtivo e útil para oferecer, faça o que João Batista fez. Afaste-se. Dê espaço. Ajude de toda forma que puder. Aponte os outros para um líder — ou ideia — mais forte e melhor. Embarque. Pense em seu coração: "É necessário que ela cresça e eu diminua". Você não tem que deixar de servir, mas deveria resistir ao impulso de ir até as últimas consequências lutando para se agarrar a algo que outra pessoa pode ser capaz de fazer melhor do que você.

### Bem-aventurados os pacificadores

É realmente trágico quando os membros da igreja batem boca. Esse comportamento pecaminoso foi condenado o tempo todo numa carta enviada à igreja filipense pelo apóstolo Paulo. Infelizmente, duas mulheres foram citadas nessa situação facciosa. Paulo escreveu: *Suplico a Evódia e a Síntique que entrem em acordo no Senhor. E peço [...] que as ajudes* (Fp 4.2,3). Aparentemente essas mulheres estavam liderando duas facções adversárias na igreja. É provável que o seu conflito fosse pessoal (talvez algo tão ridículo e sem importância quanto de que cor pintar o escritório do pastor ou o banheiro feminino!). Seja o que for que você vai fazer, não siga nas pegadas dessas duas mulheres.

◆ Refletindo em seu coração

É excelente seguir Jesus, que disse: *Bem-aventurados os pacificadores* (Mt 5.9). O seu chamado é para manter os olhos em Jesus, não naqueles que a cercam. O seu foco e propósito são humildemente seguir Cristo e representá-lo fielmente em toda oportunidade. Ele é o único que deve ser visível em qualquer ministério que você realizar ou de que participar. Busque refletir a imagem e a sua humildade. Fique focada no que é realmente importante: nas almas, no ministério espiritual e na obra do reino. O fruto de tal ministério será de honra a Deus e positivo — não algo repleto de conflito e discórdia.

AQUELE QUE A SI MESMO SE HUMILHAR, SERÁ EXALTADO
Jesus costumava fazer declarações que pareciam contraditórias entre si ou paradoxais.[3] Numa ocasião em particular, enquanto almoçava na casa de um líder religioso, Jesus percebeu como os convidados estavam brigando pelos melhores lugares à mesa. Naquela cultura, quanto mais perto a pessoa se sentasse do anfitrião, maior seria a posição de honra daquele convidado. A parábola que Jesus contou, como resultado do que testemunhara, tinha como intuito fazer os convidados pensarem menos em seu *status* social e físico e mais nas realidades espirituais (Lc 14.7-10).

Na história de Jesus, aqueles que pularam para a frente, esperando ser exaltados, em vez disso, foram humilhados quando o anfitrião lhes pediu que tomassem um assento inferior para dar lugar a outros convidados mais importantes. A mensagem de Jesus era: *Todo o que a si mesmo se exaltar será humilhado, e aquele que a si mesmo se humilhar será exaltado* (v. 11).

Uma mulher verdadeiramente humilde não tem um conceito de si mesma alto demais... nem baixo demais. Ela simplesmente não pensa em si — além de ter o cuidado de refletir o seu salvador de forma apropriada! O seu único pensamento é como estar a serviço dos outros.

Então, na próxima vez que você for a algum jantar, festa ou chá de panela, não pense em quem você é. Em vez disso, pense em quem Cristo é e como ele agiria. Medite no fato de que você é dele, que é sua humilde discípula. Tenha como propósito assistir, servir e encorajar tanto quanto possível... e desfrute do evento do fundo da sala!

[3] Consulte Mateus 23.11; Lucas 9.24; 13.30; 17.33; 18.14.

## O Senhor olha para o coração

Jesus era um afiado observador de pessoas, como acabamos de perceber. Ele gostava especialmente de se sentar e reparar as pessoas em seus atos de adoração no templo. Essas mesmas pessoas se tornaram objetos de algumas de suas histórias e parábolas. Uma das minhas favoritas nos mostra como é a humildade verdadeira. Agora ouça Jesus enquanto ele descreve a cena:

> *Dois homens subiram ao templo para orar: um era fariseu, e o outro, publicano. O fariseu, de pé, orava consigo mesmo: Ó Deus, graças te dou porque não sou como os outros homens, ladrões, injustos, adúlteros, nem mesmo como este publicano. Jejuo duas vezes por semana e dou o dízimo de tudo quanto ganho. Mas o publicano, em pé e de longe, nem mesmo levantava os olhos ao céu, mas lamentava-se profundamente, dizendo: Ó Deus, tem misericórdia de mim, um pecador! Digo-vos que este desceu justificado para casa, e não o outro; pois todo o que se exaltar será humilhado; mas o que se humilhar será exaltado* (Lc 18.10-14).

Nessa parábola, Jesus comparou dois homens. Um era exteriormente muito religioso. Parecia ser um homem humilde, temente a Deus. Fazia todas as coisas certas, mas a sua humildade era apenas uma demonstração exterior para chamar a atenção. Por dentro, era meio presunçoso e desdenhava dos outros, revelando a sua falsa humildade. Em contraste, o publicano ordinário, desprezível, possuía e exibia uma verdadeira humildade interior. Jesus disse que esse homem desprezado e excluído da sociedade era quem havia verdadeiramente se humilhado e, como resultado, seria exaltado.

Lamentavelmente *o homem olha para a aparência, mas o Senhor, para o coração* (1Sm 16.7). Na economia de Deus, não são os poderosos e os orgulhosos que recebem a sua bênção e aprovação. Não, é o humilde de espírito. Pedro, um dos discípulos que havia andado pessoalmente por muitos anos ao lado de Jesus, o exemplo máximo de humildade, descreveu essa aparente contradição desta forma: *Tende todos uma disposição humilde uns para com os outros, porque Deus se opõe aos arrogantes, mas dá graça aos humildes. Portanto, humilhai-vos sob a poderosa mão de Deus, para que ele a seu tempo vos exalte* (1Pe 5.5,6).

Deus não está dizendo para o seu povo se sentir humilde. Ele nem sequer diz para orarmos por humildade, apesar de não ser uma coisa ruim a fazer! Não, ele está nos pedindo para sermos humildes, agirmos humildemente, expressarmos humildade. Jesus acrescentava ação à sua atitude de humildade. Ele servia e ajudava os outros voluntariamente. E está pedindo que você e eu nos juntemos ao seu clube: a "Ordem da Toalha". Leia adiante para saber mais sobre esse clube.

### Eu vos dei exemplo

Como você deve saber, a terra da Palestina é um lugar árido e empoeirado hoje, assim como era durante o tempo em que Jesus esteve na terra. Portanto, quando os viajantes chegavam ao seu destino, eram saudados à porta por um servo que estava pronto para lavar e secar os seus pés ao entrarem na casa.

Em suas últimas horas antes da sua crucificação, Jesus retirou os seus discípulos da multidão. Ele queria lhes oferecer um jantar de despedida, algumas últimas palavras de esclarecimento, conselho e encorajamento, além de ter um tempo de oração antes de sua traição e prisão. Ao entrarem no cenáculo, os discípulos estavam tão ocupados discutindo sobre qual deles seria o maior no reino de Deus que nenhum deles estava disposto a se curvar e lavar os pés dos outros (Lc 22.24).

Para o seu completo choque, Jesus silenciosamente enrolou uma toalha em volta da cintura, tomou uma bacia de água, ajoelhou-se e começou a lavar e secar os pés de cada um dos discípulos (Jo 13.1-7). Por meio de seus atos, Jesus serviu de modelo para a humildade cristã e começou ensinando a seus discípulos o que significava servir abnegadamente, uma lição que ele completou com a sua morte na cruz. Ele instruiu os seus seguidores a se juntarem à "Ordem da Toalha", dizendo: *Se eu, Senhor e mestre, lavei os vossos pés, também deveis lavar os pés uns dos outros. Pois eu vos dei exemplo, para que façais também o mesmo* (v.14,15).

Todo esse episódio começou com os discípulos discutindo orgulhosamente sobre quem teria posição de maior prestígio no novo reino de Jesus. O serviço humilde de Jesus estava em completo contraste com o desejo arrogante deles por *status*. Amor e serviço abnegados eram marcas distintas do caráter de Jesus e devem ser espelhados em seus verdadeiros discípulos (v. 34,35).

Sempre que se sentir tentada a pensar e agir com orgulho, ou se surpreender desejando alguma posição de honra, pare. Vista-se de humildade em sua mente e em seu coração. Enrole uma toalha em sua cintura, pegue uma bacia de água e sirva alguém mental e espiritualmente. Ore para se tornar uma humilde serva para todos. Ore pelo sucesso dos outros, especialmente daqueles que você é tentada a invejar ou criticar. Ore diariamente para ter uma atitude abnegada para com aqueles que Deus fizer cruzar o seu caminho.

## ◆ Refletindo o coração de Jesus

Como você pode refletir um coração de humildade? É se criticando ou pensando que você tem pouco valor? Não, humildade não é resignação passiva. Não é a fina arte de depreciar a si mesma ou aos outros. Ela vem do conhecimento de Cristo e do o seu valor nele. Ela toma lugar na mente e no coração e é indicada como "humildade [de espírito]" (Fp 2.3) que pode e deve ser nutrida, cultivada... e refletida.

Uma colega da faculdade me perguntou: "Como posso ser mais humilde?" Acredite, isso me custou alguns neurônios. Mas aqui estão algumas das respostas que dei a ela:

Inicie cada dia refletindo sobre o grande sacrifício de Cristo a seu favor e considerando a sua própria pecaminosidade. Quando seguir esse padrão, você ficará quebrantada pela graça que Deus lhe ofereceu. Então, em resposta, humildemente agradeça a Jesus por ser modelo de humildade.

Depois, faça escolhas intencionais que expressam humildade. Por exemplo: fale menos e escute mais. (E definitivamente fale menos de você!) Procure aqueles que estão sofrendo ou sozinhos e estenda a mão. Aonde quer que o seu dia a leve, vá para dar e servir tantas pessoas quanto puder. Voluntarie-se para limpar e arrumar — para lavar pés! Comprometa-se com algum ministério que ninguém vê — cozinhando para os outros em casa, visitando pessoas impedidas de sair de casa e hospitalizadas, levando uma refeição especial para uma vítima de câncer, limpando a casa de um irmão idoso.

E aqui vai a maior de todas! Seja uma mulher de oração. Tudo a respeito da oração produz humildade. A postura da oração é para baixo. Falar com Deus a coloca em seu devido lugar — ele é santo. Adorá-lo e louvá-lo a coloca em seu devido lugar — ele é maior do que você. Pedir ajuda de Deus com os seus problemas e amados a coloca em seu devido lugar — você precisa da ajuda dele. Jejuar também desenvolve um conhecimento da humildade. Até o mero ato de ficar sem comida ou pular uma refeição a enfraquece fisicamente, sem mencionar o longo tempo em oração que costuma acompanhar um jejum.

Mais uma vez, reflita sobre as palavras de Pedro: *Humilhai-vos sob a poderosa mão de Deus* (1Pe 5.6). De quantas formas você pode se humilhar? Cada dia — cada ato e palavra que sai da boca — é uma nova oportunidade de cultivar a humildade de Jesus como qualidade de caráter.

## Uma oração

*Senhor, leio sobre tua humildade e fico quebrantada até o âmago. Por favor, ajuda-me a decidir me enrolar nas vestes da humildade, a focar-me não em mim mesma, mas nos outros e a considerar os outros melhores do que eu. Amém.*

# dia 15

## Alegre

Como você descreveria a sua atitude com relação à vida? Você é o tipo de pessoa que vê o copo meio cheio ou meio vazio? É claro que você sabe que a realidade do copo de água é ambos. É somente a sua perspectiva que faz a diferença.

Com certeza já tive minha cota de problemas, desafios e medos na vida. Também tenho muitos familiares, amigos e conhecidos que sofreram ou que ainda estão sofrendo uma dor ou desilusão extrema e contínua, sendo algumas delas há muitos anos, até décadas. Lamentavelmente alguns deles estão feridos e mudados ao se tornarem amargurados ou endurecidos pelas provações. Mas alguns estão vivendo uma vida alegre e produtiva, apesar da sua dor crônica, doença, deficiência ou tristeza.

O que faz a diferença? Esse último grupo é formado por pessoas que veem o "copo" das circunstâncias da sua vida não somente meio cheio, mas completamente cheio. Na verdade, cheio e transbordante! Pela perspectiva delas, os aspectos positivos de sua vida sobrepõem em muito suas enfermidades e condição de vida. Em primeiro lugar na sua lista de aspectos positivos — que eles têm a imensa felicidade de compartilhar! — está o seu relacionamento com Deus. Essa é a perspectiva que Isaías, o grande profeta do Antigo Testamento, tinha. Ele simplesmente não conseguia conter a sua alegria

138 UMA MULHER QUE REFLETE O CORAÇÃO DE JESUS

quando pensava sobre tudo o que Deus havia feito por ele. Ele escreveu:

> *Eu me regozijarei muito no Senhor, a minha alma se alegrará no meu Deus, porque me vestiu de vestes de salvação, cobriu-me com o manto de justiça, como noivo que se adorna com um turbante, e como noiva que se enfeita com as suas joias (Is 61.10).*

Como cristãos, temos a razão máxima para nos regozijarmos. Não importa o que ocorreu ou está acontecendo conosco, temos a razão máxima para obtermos alegria contínua por causa do nosso relacionamento com Jesus.

### ◆ Jesus nos mostra o caminho

Ao chegarmos à outra qualidade de caráter em nossa jornada de trinta dias para nos tornarmos mais semelhantes a Cristo, vemos Jesus como exemplo perfeito da atitude de alegria. Ele vivia sempre em completo estado de alegria, apesar de suas circunstâncias. Nunca permitia que suas emoções interferissem em sua alegria, porque ela se baseava no relacionamento ininterrupto com o seu Pai.

Aqui vai uma notícia bombástica de última hora: Em nenhum lugar na história da vida, dias e provações de Jesus registrados na Bíblia, você encontrará a palavra "felicidade" usada para descrever a sua atitude. Isso faz sentido, porque "felicidade" é um termo que nunca poderíamos usar em relação a Jesus. Por quê? Porque felicidade é uma reação a uma sensação de bem-estar, de boa sorte ou prosperidade. Jesus, sendo Deus em carne humana, nunca se permitiu ser controlado pelas circunstâncias. Ele dependia do Pai para suprir qualquer recurso necessário para o momento. A alegria de Jesus era um dom do Pai e transcendia toda e qualquer condição que enfrentasse na terra. Essa é uma

ALEGRE 139

qualidade que nós também podemos possuir, e Jesus nos mostra o caminho.

### ALEGRIA INDEPENDENTE DO QUE FOR

A alegria que Jesus oferece é sem limite. Ele oferece alegria plena a seus discípulos na noite anterior à sua morte pela crucificação. Naquela noite, Jesus compartilhou com eles a refeição da Páscoa. Esse grupo de homens havia experimentado rejeição dos estabelecimentos religiosos, ameaças de morte, perda de renda e ausência de um lar durante os três anos em que seguiram Jesus. E Jesus, sabendo da traição, provação e sentença que viriam na manhã seguinte, queria preparar os seus homens para esses eventos traumáticos. Ele lhes assegurou que, ao permanecerem nele e em seu amor, sempre teriam um relacionamento especial que incluía o elemento da alegria. Então concluiu: *Eu vos tenho dito essas coisas para que a minha alegria permaneça em vós, e a vossa alegria seja plena* (Jo 15.11). Jesus queria que os seus discípulos (e você!) conhecessem a alegria do relacionamento com ele — alegria ao máximo, sem limite, independentemente do que estava acontecendo na vida deles.

### NINGUÉM TIRARÁ A VOSSA ALEGRIA

Durante essa mesma refeição da Páscoa, Jesus também disse de forma clara aos discípulos que em pouco tempo os deixaria, referindo-se à sua morte pela crucificação. Mas ele também tinha notícias incrivelmente boas. Eles o veriam novamente, referindo-se à sua ressurreição dos mortos (Jo 16.16-19). Sim, eles ficariam tristes, mas, quando ele aparecesse novamente, teriam grande alegria!

Nesse ponto Jesus usou uma ilustração com a qual a maioria das mulheres pode se identificar, o parto. Ele explicou que há dor real durante o trabalho de parto, mas essa

140 UMA MULHER QUE REFLETE O CORAÇÃO DE JESUS

dor é rapidamente esquecida na alegria do nascimento de um filho. Jesus então aplicou a ilustração tranquilizando os seus homens: *Assim, também vós agora estais tristes; mas eu vos verei de novo, e o vosso coração se alegrará, e ninguém tirará a vossa alegria* (Jo 16.22). A alegria, alegria genuína, é duradoura e tem a sua fonte em Jesus. Os discípulos e todos os crentes de todos os tempos, incluindo você, teriam a alegria de Jesus, porque ele estaria com eles permanentemente por meio do Espírito Santo.

### PEDI... PARA QUE A VOSSA ALEGRIA SEJA PLENA
Depois de tranquilizar os discípulos de que teriam alegria por meio da presença do Espírito Santo neles, Jesus lhes fez uma promessa final de vida jubilosa: a alegria deles continuaria na oração respondida. Para encorajá-los no hábito da oração, Jesus explicou: *Até agora nada pedistes em meu nome. Pedi, e recebereis, para que a vossa alegria seja plena* (v. 24). A alegria deles estaria sempre disponível ao orarem e então receber respostas consistentes com os propósitos de Jesus em sua vida.

### ◆ Refletindo em seu coração
A alegria vem de ter um relacionamento consistente com Jesus. Ao *andar no Espírito* (Gl 5.16), a sua vida fica vitalmente conectada com Jesus. Então, não importa o que você esteja sofrendo ou suportando, não importam quais sejam suas faltas ou perdas, o Senhor a ajudará a ter alegria ao passar pelas dificuldades. A alegria dele não permitirá que você afunde na depressão ou sucumba ao desânimo. Fique perto de Jesus, e ele a manterá estável, não importa quanto suas circunstâncias sejam avassaladoras e devastadoras. É como Jesus prometeu: *O vosso coração se alegrará, e ninguém tirará a vossa alegria* (Jo 16.22).

## A ALEGRIA QUE LHE ESTAVA PROPOSTA

Os romanos desenvolveram o instrumento máximo de tortura e dor com a crucificação. A cruz romana era temida tanto pelos criminosos quanto pelas pessoas que obedeciam à lei. Para os romanos, a cruz era um símbolo de sofrimento, mas, por causa da morte de Jesus, a cruz agora simboliza salvação. Em sua morte horrível pela crucificação, Jesus nos fornece o modelo supremo de alegria em meio à experiência mais terrível. O escritor do livro de Hebreus nos ajuda a olhar para *Jesus, o autor e consumador da nossa fé, o qual, por causa da alegria que lhe estava proposta, suportou a cruz, não fazendo caso da vergonha que sofreu, e está assentado à direita do trono de Deus* (Hb 12.2).

Sabendo que o seu sacrifício e sofrimento resultariam em grande alegria, Jesus se concentrou em seu futuro com o Pai ao suportar a dor da morte. Ele nunca perdeu de vista a alegria que tinha em seu relacionamento com o Pai.

### ◆ Refletindo em seu coração

Como você normalmente trata ou enfrenta as dificuldades? Com temor? Medo? Ira? Reclamação? Lágrimas? Suspiros? Resignação? Por que passar por tais emoções quando essa maravilhosa qualidade de alegria que Jesus experimentou em sua hora mais escura também está disponível a você? Por que você recorre a Jesus para obter essa alegria? Permita que ele a ajude a persistir em suas horas mais escuras e em seus dias mais dolorosos com alegria pura, plena e indescritível.

### ◆ Ana nos mostra o caminho

Que deleite Deus nos dá ao nos mostrar a vida nobre de uma de suas filhas, Ana! Ela era perseguida, desprezada e mal falada... e tudo isso enquanto o seu coração estava em pedaços.

Ela dividia o seu marido com outra mulher. E, como se não fosse suficientemente ruim, a outra esposa tinha filhos enquanto a pobre Ana, não. Para tornar a sua vida ainda mais miserável, a outra mulher provocava e ridicularizava Ana por causa da sua incapacidade de ter filhos.

Como Ana lidava com todas essas mágoas? Ela suportava a sua dor em silêncio, compartilhando-a somente com Deus. Quando *orou ao* Senhor, *chorou muito* (1Sm 1.10). Quando o seu momento de oração terminou, ela rendeu este louvor: *Meu coração exulta no* Senhor *[...] pois me alegro na tua salvação* (1Sm 2.1).

Ana nos ensina alguns meios importantes para lidar com o sofrimento. Várias vezes neste livro destaco que os problemas fazem parte da vida. Ana tinha problemas assim como você e qualquer pessoa viva. Isso porque vivemos em um mundo pecaminoso e caído no qual seremos feridas pelos outros e nós mesmas também feriremos os outros. Sofreremos fisicamente, pois nosso corpo imperfeito se deteriora e é vulnerável à doença e aos males. Mas em tudo isso — qualquer problema que enfrentarmos — podemos orar pela graça para fazer como Ana, que:

- Manteve o seu sofrimento para ela mesma em lugar de revidar, lamentar ou reclamar a qualquer um que ouvisse.
- Levou suas tristezas mais profundas à pessoa certa — o próprio Deus.
- Orou e chorou diante do Senhor, de modo que se levantou *e sua aparência deixou de ser triste* (1Sm 1.18).
- Trouxe o seu problema de esterilidade a Deus em oração sincera e com um voto.
- Louvou o Senhor pela alegria que tinha nele e em sua salvação.

ALEGRE 143

### ◆ A Bíblia nos mostra o caminho

Quem não desejaria alegria em vez de exaustivas possibilidades negativas? A boa notícia é que você e eu podemos cultivar essa qualidade de caráter brilhante e preciosa. A Bíblia nos mostra como. Considere estas mudanças que você pode fazer em seu esforço para experimentar alegria mesmo quando estiver sob a pressão do sofrimento:

◆ Tenha alegria na sua salvação. *Minha alma se regozijará no* Senhor *e se alegrará na sua salvação* (Sl 35.9).
◆ Ande no Espírito. *O fruto do Espírito é [...] alegria* (Gl 5.22).
◆ Decida reagir com alegria. *Considerai motivo de grande alegria o fato de passardes por várias provações* (Tg 1.2).
◆ Renda louvor a Deus. *Ofereçamos sempre a Deus um sacrifício de louvor, que é fruto dos lábios que declaram publicamente o seu nome* (Hb 13.15).
◆ Entenda a vontade de Deus com relação à gratidão. *Sede gratos por todas as coisas, pois essa é a vontade de Deus em Cristo Jesus para convosco* (1Ts 5.18).
◆ Ore por alegria em suas tormentas. *Até agora nada pedistes em meu nome. Pedi, e recebereis, para que a vossa alegria seja plena* (Jo 16.24).

### ◆ Refletindo o coração de Jesus

O propósito deste livro é dar uma boa olhada nos traços de caráter que se destacam na vida de Jesus. Nosso desejo de coração é seguir em seus passos, imitá-lo, crescer e nos tornarmos mais como ele. Nosso querido salvador sofreu mais que qualquer pessoa de todos os tempos já sofreu. Lemos sobre a sua dor e agonia... e ainda assim lemos sobre a sua pura alegria!

Aqui está um exercício que pode revelar muito sobre o seu quociente de alegria. Faça um gráfico do seu estado emocional nos últimos meses num pedaço de papel quadriculado.

Escreva a palavra "depressão" na parte de baixo do papel e "euforia", na parte de cima. Como o seu gráfico seria? Retrataria grandes picos vertiginosos quando estava tudo bem? E mostraria vales profundos de tristeza quando as coisas não estavam tão bem? Por que as dramáticas oscilações de humor? Talvez a sua reação às provações e aos problemas fosse tão variada e inconsistente porque houve momentos em que você tirou os olhos de Jesus.

Jesus lhe oferece a solução dele para suas mudanças de humor. Ele lhe dará a sua alegria quando você decidir trabalhar num relacionamento mais consistente com ele. Você pode nutrir essa amizade. Você pode pensar nele com mais frequência. Pode recitar suas promessas. Pode olhar para o céu e ter pensamentos do alto em vez de enxergar a sua situação pelos olhos negativos do mundo. Você também pode orar em vez de perder a coragem (Lc 18.1).

Se você é inclinada a reações que não trazem a alegria de Deus em suas situações infelizes, tome uma atitude positiva. Decida não permitir que os infortúnios ou a sorte a façam subir ou descer na escala de humor. A alegria de viver próximo a Jesus e tirar partido da sua força a cada dia — até mesmo momento a momento — a manterá compensada, a segurará firme, reinará em suas emoções e a impulsionará a se regozijar sempre, independentemente do que estiver acontecendo ao seu redor.

## Uma oração

*Querido Jesus, ajuda-me a lembrar que minha alegria vem do meu relacionamento e da minha caminhada contigo. Tu és a minha alegria e a fonte da minha alegria. Que eu pare de permitir que qualquer um ou qualquer coisa roube minha alegria em ti, e que os outros vejam tua alegria em mim. Amém.*

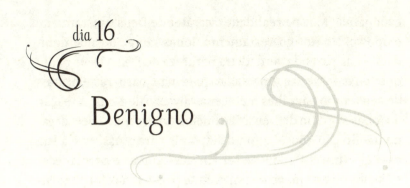

# dia 16

# Benigno

A benignidade parece ser uma espécie ameaçada como qualidade de caráter. Para ser precisa, existem raros atos de benignidade à nossa volta. Mas em geral, se você assiste ao noticiário ou ouve as notícias, provavelmente está convencida de que vivemos num mundo muito mau. Contudo, recentemente ouvi algumas poucas notícias encorajadoras. Parece que alguns estudantes de uma escola de ensino fundamental na região de Seattle, que estavam passando por problemas de *bullying*, iniciaram um "clube do bem". As crianças escrevem bilhetes do bem e de agradecimento pelos gestos de benignidade que receberam ou viram ser realizados para outros. Então os bilhetes foram colados juntos para formar uma corrente. Incrivelmente, a "corrente do bem" chegou a tomar a extensão de todos os corredores da escola... ida e volta! Essa já seria uma história surpreendente por si só, mas o que é ainda mais fantástico é que o exemplo deles inspirou outras escolas a iniciarem clubes semelhantes.

O exemplo é uma ferramenta poderosa para causar mudança no comportamento. E não existe exemplo maior a seguir no que diz respeito à benignidade do que Jesus, o próprio Senhor.

◆ Deus nos mostra o caminho

Deus costuma ser retratado como um Deus de ira e vingança. Os críticos amam descrevê-lo como uma divindade cruel e vingativa. Mas na realidade o caráter de Deus é justamente o oposto. No Antigo Testamento, Jonas sabia que a benignidade fazia parte da verdadeira natureza de Deus. Deus pediu que Jonas fosse até uma das nações mais bárbaras e brutais do seu tempo para lhes oferecer a salvação de Deus. A reação de Jonas à ordem de Deus? Ele iniciou uma jornada pelo oceano na direção oposta a fim de evitar ir para a Assíria e a sua capital, Nínive. Depois de ser lançado ao mar e permanecer três dias no estômago de um grande peixe, Jonas foi para Nínive com relutância.

Quando o povo de Nínive ouviu os alertas de julgamento, houve um grande avivamento. Você acha que Jonas ficou feliz, certo? Mas ele não ficou. Ele queria que Deus julgasse o povo. Então deu esta razão a Deus para a sua hesitação inicial em ir para Nínive: *Fugi [...] pois sabia que és Deus compassivo e misericordioso, paciente e cheio de amor, e que te arrependes do mal* (Jn 4.2).

No Novo Testamento, o apóstolo Paulo também testificou da benignidade de Deus. Em sua carta aos cristãos de Roma, Paulo escreveu das *riquezas da sua bondade, tolerância e paciência,* explicando que *a graça de Deus* [nos] *conduz ao arrependimento* (Rm 2.4). Pense nisso! A sua salvação é um resultado direto da benignidade de Deus.

Em sua epístola à igreja de Éfeso, Paulo escreveu sobre a ação de Deus de fazer aqueles que estão espiritualmente mortos viverem em Cristo. Ele queria que os crentes soubessem que uma razão para a salvação de Deus aos pecadores era *mostrar nos séculos vindouros a suprema riqueza da sua graça, pela sua bondade para conosco em Cristo Jesus* (Ef 2.7).

### ◆ Refletindo em seu coração

O grande coração de Deus é um coração repleto e transbordante de benignidade. É a benignidade de Deus que o moveu a estender a graça da sua salvação a você. Qual seria a reação apropriada do seu coração para tal verdade? Adoração. Louvor. Gratidão. E benignidade. Deus estendeu e demonstrou a sua benignidade a você, e você, por sua vez, deveria estender a mão e demonstrar a benignidade dele aos outros. Você deve se tornar um elo na eterna "corrente do bem" de Deus!

## ◆ Jesus nos mostra o caminho

Como você pode ver, a benignidade é a próxima qualidade em nossas meditações sobre o caráter semelhante ao de Cristo. Como sempre, Jesus estabeleceu o padrão ao irradiar benignidade pura. Na verdade, Jesus era a *benignidade* [...] *de Deus* (Tt 3.4, ARC), que apareceu em carne humana e lançou-se no meio da sua criação estendendo a mão em atos de benignidade em qualquer hora e lugar que visse uma necessidade. Jesus era a benevolência em ação. A compaixão era tanto uma parte da sua natureza que ele simplesmente não podia se desviar de alguém que estivesse em sofrimento. A benignidade então, conforme exemplificada por Jesus, deseja fazer algo a respeito do que vê como necessidade.

Em nenhum lugar da Bíblia você verá a palavra "agradável" para descrever o caráter de Jesus. Enquanto uma pessoa agradável pode parecer educada, é possível que essa pessoa esteja agindo meramente de forma superficial. É por isso que "agradável" não se qualifica como uma verdadeira qualidade de caráter. A benignidade, por outro lado, fala ao caráter. Uma pessoa benigna é caridosa, compassiva e atenciosa. As ações da pessoa benigna são sinceras e profundamente intensas. Ao ler sobre a vida de Jesus, você não consegue deixar passar essa qualidade vivenciada nos seus atos. Aqui estão alguns exemplos nos quais Jesus agiu com graciosidade e afeição — com benignidade:

## Quanto o Senhor fez por ti

*O homem possuído por demônios* — Uma das narrativas clássicas da misericórdia de Jesus foi o momento em que ele expulsou demônios de um homem que se intitulava "Legião", porque estava possuído por muitos demônios. Pense num homem que estava em dor e agonia! Ele

> *morava nos sepulcros; nem mesmo com correntes alguém era capaz de prendê-lo, porque ele havia sido preso muitas vezes com algemas e correntes, mas as correntes eram quebradas por ele, e as algemas, despedaçadas. Ninguém tinha força para dominá-lo. Noite e dia, ele andava sempre gritando e se ferindo com pedras pelos sepulcros e pelos montes* (Mc 5.3-5).

Esse homem torturado era uma visão patética. Ninguém conseguia se aproximar dele, porque ele era muito violento. Mas Jesus expulsou os demônios, mandando-os para uma vara de porcos. Jesus então mandou o homem de volta para casa ordenando-lhe que transmitisse aos outros a benignidade que havia experimentado. Jesus lhe disse para ir *para casa, para a tua família, e anuncia-lhes quanto o Senhor fez por ti e como teve misericórdia de ti* (Mc 5.19).

### ◆ Refletindo em seu coração

*Anuncia-lhes quanto o Senhor fez por ti.* Essas palavras foram uma tarefa dada pelo Senhor a um homem que estava desamparado e sem esperança — isto é, antes de Jesus libertá-lo. Essas foram quase exatamente as palavras oferecidas ao Senhor como louvor pelos lábios de Maria, a mãe de Jesus, na sua famosa oração conhecida como Cântico de Maria. Ela orou: *o Poderoso fez grandes coisas para mim* (Lc 1.49). Em sua oração, Maria se regozijou em Deus, o seu salvador (v. 47). Se Deus é o seu salvador, você já sabe no seu coração que grandes coisas ele fez por você. Por sua benignidade ele a salvou de uma vida sem esperança e a libertou. Siga as instruções de Jesus para o homem que fora tomado por demônios. Vá para a sua família e amigos — e quem mais ouvir — e conte que grandes coisas o Senhor fez em seu favor e como ele teve compaixão de você.

### VAI E NÃO PEQUES MAIS

*A mulher flagrada em adultério* — Deus odeia o pecado. Ainda assim, pelo seu amor ele tomou medidas extremas e enviou o seu filho para morrer pela penalidade do pecado. Jesus nunca consentiu com o pecado, mas amava os pecadores. Numa ocasião, os líderes religiosos tentaram fazer uma armadilha para Jesus, trazendo diante dele uma mulher que havia sido flagrada em adultério. (Você pode ler os detalhes em João 8.1-11.) A lei judaica exigia o apedrejamento da mulher. Mas a lei romana havia proibido o apedrejamento como crime capital. Infelizmente, esses homens, em seu ódio por Jesus, estavam tentando usar essa pobre mulher para desacreditá-lo.

Sem pronunciar uma palavra, Jesus escreveu algo na areia para que todos os acusadores da mulher vissem. Talvez fosse uma lista dos pecados que esses homens tinham cometido. Ninguém sabe. Mas, seja o que for, Jesus disse aos acusadores: *Quem dentre vós estiver sem pecado seja o primeiro a atirar uma pedra nela* (v.7). Lentamente, um por um, todos os líderes religiosos silenciosamente se retiraram, deixando a mulher sozinha com Jesus. Ele perguntou: *Mulher, onde estão eles? Ninguém te condenou? Ela respondeu: Ninguém, Senhor* (v. 10,11). Gentilmente Jesus disse: *Nem eu te condeno. Vai e não peques mais* (v.11).

Que salvador benigno nós temos! O mundo é rápido para julgar, mas Jesus é rápido para perdoar. Não podemos pisotear a sua benignidade. Em vez disso, nos esforcemos para "ir e não pecar mais".

## JESUS VOLTOU A COLOCAR AS MÃOS SOBRE OS OLHOS DELE

*O homem cego* — Quando você pensa numa pessoa benigna, que ato singular demonstra a preocupação dessa pessoa? É o toque, não é mesmo? Um abraço. Uma tapinha nas costas. Jesus curou muitos cegos, mas numa ocasião a Bíblia nos mostra a atenção de Jesus dirigida em especial a um homem cego. É possível imaginar a benignidade de Jesus quando *tomou o cego pela mão, levou-o para fora do povoado* [...]. *Então Jesus voltou a colocar as mãos sobre os olhos dele, e ele começou a ver claramente e ficou restabelecido, pois enxergava todas as coisas com nitidez* (Mc 8.23,25).

Você está sentindo o "toque" benigno de Jesus? Peça — ele está apenas a uma oração de distância!

## PEGANDO-AS NOS BRAÇOS

*As crianças* — Quando você entra numa sala de aula de crianças na igreja, que figura costuma estar pendurada na parede? Quando era criança, eu via uma figura de Jesus segurando uma ou duas crianças no colo, com outras pessoas amontoadas em volta dele, apoiando-se nele, tocando-o, descansando aos seus pés. Eu ainda posso ver isso na minha mente, ao recordar.

Agora imagine isto: Os discípulos de Jesus tentando afastar um grupo de crianças dele. Isso realmente aconteceu! E o que o nosso salvador amoroso fez e disse?

> *Jesus, porém, vendo isso, indignou-se e disse-lhes: Deixai as crianças virem a mim e não as impeçais, porque o reino de Deus é dos que são como elas, [...] pegando-as nos braços, abençoou-as, impondo--lhes as mãos* (Mc 10.14,16).

## ◆ Refletindo em seu coração

Jesus amou, recebeu, apreciou e abençoou as crianças. Os outros as repreendiam e tentavam afastá-las, mas o Senhor da benignidade as valorizava. De forma alguma, ele via a presença delas como invasão do seu espaço. De forma alguma, queria impedi-las de vir até ele, o Cristo. Se você é uma mãe que deseja refletir a benignidade de Jesus, comece com os pequenos — ou grandes — que estão debaixo do mesmo teto que você. Ore e faça o propósito de deixar claro para os seus filhos que eles são estimados, uma prioridade para você e uma alegria para o seu coração. E, acima de tudo, dedique a sua vida para trazê-los a Jesus.

## ◆ Mulheres da Bíblia que nos mostram o caminho

Um dos meus estudos ao longo da vida é sobre as mulheres da Bíblia. Elas — e os seus muitos gestos de benignidade — foram catalogadas e mantidas para sempre nas páginas das Escrituras. A minha mente corre para longe imediatamente enquanto penso no grande número de mulheres que vivenciaram a benignidade de Deus com relação aos outros. Desfrute dessas poucas e leia com o coração aberto, um coração como o que elas possuíam.

### ELE PODERÁ SE HOSPEDAR ALI

*A mulher sunamita* (2Rs 4.8-10) — No Antigo Testamento, encontramos o exemplo de uma mulher que viu uma necessidade... e agiu. Ela observou que o profeta Elias passava por ali regularmente. Ela também percebeu que ele parecia não ter um lugar onde fazer suas refeições. O que a benignidade dessa senhora fez? Ela tomou medidas e *insistiu para que ele comesse* com a sua família sempre que passasse por ali (v. 8). Ela também percebeu que Elias não tinha um lugar onde ficar.

Novamente, o que a sua benignidade fez? Ela perguntou a seu marido se eles poderiam construir um "pequeno quarto de profeta" em cima da casa deles para que Elias tivesse um lugar onde ficar sempre que passasse ou viesse à cidade. Foi assim que ela apelou ao marido: *Assim, ele poderá se hospedar ali quando vier nos visitar* (v. 10).

Os olhos dessa mulher estavam abertos às necessidades do outro, assim como o seu coração. Por causa da benignidade de uma mulher, o servo de Deus tinha duas coisas a menos com que se preocupar ao viajar e proclamar a verdade a respeito do Senhor Deus. Ele tinha comida e um lugar onde repousar.

## Cheia de boas obras

*A discípula chamada Dorcas* (At 9.36-41) — No Novo Testamento outra mulher benigna chamada Dorcas (também traduzido por Tabita) percebeu as necessidades dos outros. Lucas, o escritor do livro de Atos, relatou que *esta estava cheia de boas obras e esmolas que fazia* (v. 36, ARC). Entre os seus atos de benignidade, estavam costurar túnicas e roupas para as viúvas. Dorcas percebeu que as viúvas tinham uma necessidade — roupas — e agiu. Ela vivenciava a descrição de Tiago de *religião pura e imaculada* — ela visitava as viúvas nas suas dificuldades e atendia às suas necessidades (Tg 1.27).

## Sede uns para com os outros benignos

Tanto a mulher sunamita sem nome quanto Dorcas nos mostram benignidade. O desejo de Deus de que sejamos benignos não mudou através dos séculos. É como o apóstolo Paulo escreveu: *Antes sede uns para com os outros benignos, misericordiosos* (Ef 4.32, ARC).

Ser benigno não é algo que você pode fabricar. Você pode fazer um esforço para ser agradável, o que é proveitoso. Mas a benignidade vem de um relacionamento profundo e duradouro com Jesus. É uma atitude de coração, uma condição espiritual. É também um fruto do Espírito (Gl 5.22,23). Quando você andar com Jesus, também mostrará benignidade. O seu coração ficará cheio de compaixão. Você será sensível às tremendas necessidades das pessoas à sua volta. Da mesma forma que Jesus, você mostrará benignidade não somente aos pobres e desamparados, mas a qualquer um que estiver sofrendo. Você se tornará

> os olhos para os idosos,
> os ouvidos para os sofridos,
> as pernas para os coxos,
> as mãos para os doentes e
> o ombro para os quebrantados.

## ◆ Refletindo o coração de Jesus

Deus, em sua própria natureza, é benigno. Ele responde àqueles que clamam pelo seu nome, inclusive você. Ele é solidário à sua situação e terno, amoroso e paciente no que diz respeito à sua vida e às suas ações. Como filho de Deus, Jesus espelhava o Pai e deseja que você o espelhe também.

Para refleti-lo de forma precisa, Jesus a chama para se afastar da atitude socialmente aceitável de ser agradável com as pessoas. Ele tem planos muito maiores para você — *uma vida cheia de boas obras e esmolas* (At 9.36, ARC). Ele deseja em você um coração cheio de benignidade real e sincera que vai além do fingimento e da polidez. Um simples gesto de atenção da sua parte pode se tornar uma bênção extraordinária para quem o recebe... e para você. A benignidade é uma característica de alguém que faz parte do povo de Deus, e, quando você é benigna, exibe o caráter de Cristo para um mundo observador, permitindo que os outros tenham um vislumbre de Jesus.

## Uma oração

Querido Jesus, a minha "lista de desejos" é longa! Desejo com todo o meu coração viver uma vida de benignidade, imitar a tua compaixão, benevolência e atitude perdoadora. Cria em mim uma compaixão por aqueles que são menos afortunados, que estão em sofrimento ou necessidade. E que tu, Senhor Jesus, sejas exaltado em cada ato de benignidade praticado em teu nome. Amém.

## dia 17

# Amoroso

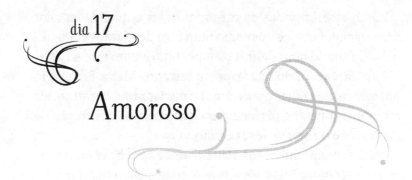

Você consegue identificar os "dias mais importantes" da sua vida? Para nós, cristãos, o dia em que cremos em Jesus é definitivamente o dia singular mais importante, ficando muito acima de qualquer outra experiência. Nada na vida jamais chegará perto em comparação com o dia em que você herdou a vida eterna, teve os seus pecados perdoados e iniciou um relacionamento com Deus. Além desse dia mais importante, aqueles que são casados normalmente apontam para o seu dia de casamento. Esse dia festivo é sempre lembrado por um marido amoroso e atento, que torna esse dia especial, com uma refeição especial num restaurante especial. (Bem, pelo menos esse é o sonho!)

Você acredita que hoje é o meu aniversário de casamento? Jim e eu nos conhecemos na Universidade de Oklahoma num encontro às cegas, nos apaixonamos instantânea e desesperadamente e nos casamos oito meses depois. Se você tivesse nos pressionado para definir o amor naquela época, teríamos lhe dado uma definição completamente diferente da que daríamos nesses tantos anos depois. O que conta na diferença entre as definições "daquela época" e de "agora"? O tempo. As lutas. A adversidade. O crescimento físico, mental e espiritual. Essas são apenas algumas razões para nossa definição de amor ser amplamente diferente hoje.

O amor é uma das emoções, atitudes e qualidades pior compreendidas, que nós como humanos desejamos e possuímos. O mundo quer definir o amor como algum tipo de atração física, excluindo quase todo o restante. Mas a Bíblia tem outra forma de olhar para o amor e mensurá-lo. Portanto, ela apresenta a pessoa perfeita para demonstrar a definição de Deus sobre o amor — Jesus Cristo.

Antes de aprendermos sobre o amor com base em Jesus, vejamos como a Bíblia descreve o amor pela perspectiva de Deus, o Pai. Assim como com muitas das qualidades que estamos analisando neste livro, o amor é tanto uma qualidade divina dentro da natureza da Trindade quanto uma atividade que cada membro da Trindade realiza. Aqui estão alguns fatos a respeito do amor de Deus como exemplo:

* O amor de Deus faz parte da sua natureza — *Deus é amor* (1Jo 4.8).
* O amor de Deus pelo filho é desde a eternidade — desde *antes da fundação do mundo* (Jo 17.24).
* O amor de Deus é ativo — ele *deu o seu filho unigênito* (Jo 3.16).
* O amor de Deus é persistente — *Nem morte [...] nem qualquer outra criatura poderá nos separar do amor de Deus* (consulte Romanos 8.35-39).
* O amor de Deus inclui todos aqueles que estão perdidos — *O filho do homem veio buscar e salvar o que se havia perdido* (Lc 19.10).
* O amor de Deus é sacrificial — *Aquele que não poupou nem o próprio filho, mas, pelo contrário, o entregou por todos nós* (Rm 8.32).
* O amor de Deus abençoa os seus filhos — *Vede que grande amor o Pai nos tem concedido, o de sermos chamados filhos de Deus* (1Jo 3.1).
* O amor de Deus é eterno — *Com amor eterno te amei* (Jr 31.3).

## ◆ Jesus nos mostra o caminho

Em Jesus encontramos tanto o maior exemplo de amor quanto o nosso recurso máximo para amar os outros. Jesus era o amor perfeito em carne humana. Ele amou perfeitamente e nos ensina — e ordena — a fazer o mesmo. Ouça agora a instrução do sumo mestre sobre o amor!

### Ensinos de Jesus sobre o amor

- *O amor escolhe Deus como primeira prioridade — Amarás o Senhor teu Deus de todo o coração, de toda a alma e de todo o entendimento. Este é o maior e o primeiro mandamento* (Mt 22.37,38).
- *O amor escolhe os outros como próxima prioridade — E o segundo, semelhante a este, é: Amarás o teu próximo como a ti mesmo* (v. 39).
- *O amor escolhe obedecer a Jesus — Se me amardes, obedecereis aos meus mandamentos* (Jo 14.15). *Se alguém me amar, obedecerá à minha palavra* (v. 23). *Se obedecerdes aos meus mandamentos, permanecereis no meu amor* (Jo 15.10).
- *O amor escolhe seguir o exemplo de Jesus e o seu mandamento de amar os outros — Eu vos dou um novo mandamento: que vos ameis uns aos outros; assim como eu vos amei, que também vos ameis uns aos outros* (Jo 13.34).
- *O amor escolhe perdoar em lugar de buscar vingança — Amai os vossos inimigos, fazei o bem aos que vos odeiam, abençoai os que vos amaldiçoam e orai pelos que vos maltratam* (Lc 6.27,28).

### A prática do amor de Jesus

Porque ele praticava o amor perfeitamente, Jesus nos mostra como fazer o mesmo e vivenciar os seus mandamentos para *amarmos uns aos outros* (Jo 13.34).

*Jesus amava os amigos dele* — Marta, Maria e Lázaro eram três dos amigos mais chegados de Jesus e lemos que *Jesus amava Marta, a irmã dela e Lázaro* (Jo 11.5). Vemos Jesus na casa deles tomando refeições em várias ocasiões e chegando para oferecer ajuda depois da morte de Lázaro.[1]

Você consegue imaginar ter Jesus na sua casa não somente como convidado de honra, mas também como alguém que demonstra visivelmente amor com relação a você? Os amigos são um presente de Deus e deveriam ser tratados com amor e respeito. Como amigo, Jesus estava lá quando essa família precisou dele numa crise de vida ou morte. Ele veio até Marta e Maria no momento de necessidade delas, ainda que os líderes religiosos do local estivessem buscando meios para matá-lo. O amor de Jesus pelos seus amigos neutralizou a sua preocupação com a sua própria segurança.

### ◆ Refletindo em seu coração

É fácil amar os amigos que retribuem amor. As amizades também são fáceis de manter quando se exige pouco de você. Mas e os momentos de necessidade? Você ainda está lá pelos seus amigos quando eles pedem a sua ajuda? E se essa ajuda for necessária por um tempo, até por um tempo longo? A marca de um amigo verdadeiro é o amor persistente, apesar de qualquer fardo que a amizade apresente.

Jesus amava os seus companheiros de trabalho – João, indicado como o discípulo *a quem Jesus amava* (Jo 13.23), dá essa percepção sobre o amor que Jesus tinha pelos o seus doze colaboradores: *Sabendo Jesus que havia chegado sua hora de passar deste mundo para o Pai, e tendo amado os seus que estavam no mundo, amou-os até o fim* (Jo 13.1). Até o fim! Amar a sua família e os seus amigos é uma coisa, mas e aqueles com quem você trabalha todos os dias, ou aqueles com quem ministra

---

[1] Consulte Lucas 10.38,39; João 12.1,2; 11.5.

AMOROSO 159

juntamente na igreja toda semana? Como está o seu relacionamento com eles? Às vezes eles podem ser um desafio e tanto, não é mesmo?

Falando em desafio, tente imaginar o Deus da criação, o Soberano do mundo, tendo que servir de babá para um grupo formado, em sua maioria, por pescadores de um lugar remoto, de um país minúsculo no meio de um mundo enorme. Com certeza devia haver pessoas mais interessantes, mais educadas e mais "por dentro das coisas" com quem gastar tempo do que esses sujeitos! Se você recebesse essa tarefa, que atitudes você acha que poderia ter demonstrado com relação a esses homens? Impaciência? Aversão? Desrespeito? Irritação? Esses homens nem sequer entenderam completamente a missão de Jesus até ele ressuscitar do túmulo. Ainda assim, a Bíblia afirma que ele *amou-os até o fim* (Jo 13.1), embora soubesse que eles duvidariam, o abandonariam, o negariam e o trairiam.

◆ Refletindo em seu coração

Que belo exemplo a seguir! Da próxima vez que você se pegar prestes a reagir com impaciência, irritação ou aversão por alguma coisa que um de seus colegas de trabalho, conhecidos ou colaboradores da igreja fizerem ou não fizerem, ou talvez algo a respeito deles que a incomoda ao extremo, lembre-se de Jesus. Concentre-se em entender e valorizar essa pessoa e o ponto de referência dela. Acima de tudo, ame-a com o amor de Cristo. E lembre-se: *o amor cobre um grande número de pecados* (1Pe 4.8).

*Jesus amava os perdidos* — A missão de Jesus na terra está descrita neste versículo: *O filho do homem veio buscar e salvar o que se havia perdido* (Lc 19.10). Então não é surpresa ver Jesus ativamente se misturando com os perdidos. No capítulo da generosidade, conhecemos uma pessoa que abordou Jesus. Se você se recorda, tratava-se de um jovem muito abastado. Ele veio até Jesus para perguntar como *herdar a vida eterna*.[2]

Quantas pessoas você acha que cruzaram o caminho de Jesus com uma pergunta, uma necessidade, uma reclamação, diariamente? Podemos pensar que depois de um tempo Jesus poderia ter ficado um pouco fatigado e calejado, desejando uma folga da multidão de pessoas que o abordavam. Então nos lembramos: "Mas esse é Jesus! É claro que ele sempre reagiria com amor 100% puro, semelhante ao de Deus!" Efetivamente, no meio da sua conversa com o jovem rico, a Bíblia diz: *Olhando para ele, Jesus o amou* (v. 21). Que palavras ternas, diretas, tocantes e compreensíveis — Jesus o amou! Jesus sabia que o homem não estava disposto a segui-lo; então fez um último teste com o rapaz: *Vai, vende tudo o que tens e dá-o aos pobres* [...] *depois vem e segue-me* (v. 21).

### ◆ Refletindo em seu coração

Você provavelmente está cercada por não crentes, por pessoas como o jovem rico. É fácil considerá-las como "inimigas". Elas não compartilham dos seus valores, tampouco os desejam ou respeitam. Elas não falam nem agem como você, e não há meio de quererem! Talvez sua reação natural seja se sentir desconfortável quando está cercada por não cristãos, até mesmo tentar evitar qualquer contato com eles. Ainda assim, Jesus nos mostra um caminho melhor — o caminho dele. Jesus aceitou o jovem rico da forma que ele era. Ele pediu um compromisso, mas nunca disse ou fez qualquer coisa rude com relação ao rapaz. Ele foi o modelo perfeito da atitude que você deve ter com relação aos perdidos. Eles não conseguem agir de outra

---

[2] Consulte Marcos 10.17-22; Mateus 19.20; Lucas 18.18,19.

forma, porque *o homem natural não aceita as coisas do Espírito de Deus* (1Co 2.14). Lembre-se, eles não são inimigos só porque não são cristãos. Eles são apenas vítimas do inimigo. Faça como Jesus fez. Olhe para eles... e os ame.

### O AMOR DE JESUS ERA SACRIFICIAL

Jesus levou o amor ao o seu teste máximo quando foi voluntariamente à cruz para nos assegurar a salvação. Ele forneceu o maior exemplo de todos os tempos, de amor desapegado e sacrificial. Jesus falava de si mesmo quando disse: *Ninguém tem maior amor do que aquele que dá a própria vida pelos seus amigos* (Jo 15.13).

O amor é custoso. O amor pede algo de você. Espera-se que você nunca seja requisitada para morrer por alguém, mas o amor de Cristo exige que você pratique o amor sacrificial de formas muito práticas... tais como ouvir, ajudar, servir, encorajar e dar do seu tempo e do seu dinheiro.

Onde começa o amor sacrificial? Com um relacionamento com Deus por meio de Jesus Cristo. Uma vez que você é uma filha de Deus, gastar tempo com Deus na sua Palavra e na oração estimula e renova o amor a cada novo dia. Daí o amor se transforma em atitudes e ações amorosas primeiramente com relação à sua família, então flui para os outros irmãos e finalmente para o mundo, para todo e qualquer um que cruzar o seu caminho. Você tem o amor de Deus para dar, por causa da habitação do Espírito Santo! Apenas se certifique de seguir a ordem de Jesus para amar primeiramente a Deus e então os outros: *E dele temos este mandamento: quem ama a Deus ame também o seu irmão* (1Jo 4.21).

### ◆ Refletindo o coração de Jesus

Você já pensou por que Jesus lhe ordena amar? O amor exige algo de você. Requer esforço. E, infelizmente, o amor nem sempre é uma reação normal, a menos que talvez você seja mãe. Mas, além desse laço familiar, o amor deve ser nutrido. Precisa de um leve empurrão, especialmente se você está hesitante no que diz respeito a estender a mão em amor, porque foi ferida em algum momento enquanto tentava amar outra pessoa.

Se, por uma razão ou outra, você se achar hesitante em obedecer à ordem de Deus para amar, precisa relembrar quão profundamente é amada por Jesus, apesar de seus pecados e falhas. O amor incondicional dele deveria movê-la a amar os outros. Ele lhe mostra a forma de amar. Perceber quanto Deus a ama começará a remover as suas dificuldades para amar os outros. Então, ao praticar o amor com relação aos outros, o sentimento do amor virá naturalmente. Você se encontrará refletindo o coração de Jesus ao estender a mão em amor — da mesma forma que ele fez.

## Uma oração

*Meu precioso Jesus, obrigada pelo dom do amor que estendeste a mim na salvação — um dom que eu não poderia merecer e nunca serei capaz de restituir. Espírito Santo, obrigada porque me ensinas sobre o amor e me incitas, encorajas e capacitas a amar os outros. E Pai, que eu consiga te amar, porque me amaste primeiro. Amém.*

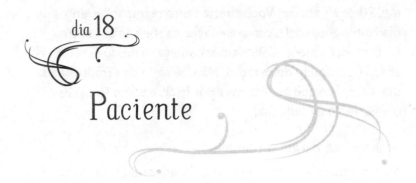

# dia 18
# Paciente

"A paciência é uma virtude."

"Eu quero paciência... e quero já!"

"A paciência é uma planta amarga que produz um fruto doce."

Provavelmente você já deve ter ouvido ou lido a maior parte das premissas anteriores. Você provavelmente deseja — e precisa — o "fruto doce" da paciência como parte da sua vida diária.

Como mulher, você precisa de paciência nos seus relacionamentos e na sua situação de vida. Se você é casada, precisa de paciência com o seu marido. Você e o seu cônjuge são diferentes um do outro, mas ainda assim têm que viver debaixo do mesmo teto. Conheço muitas esposas de militares que devem viver pacientemente, dia a dia, por meses ou até um ano ou mais, sem o marido. Se você tem filhos, provavelmente cada minuto da sua vida clama por paciência! E ainda existem aquelas pessoas no trabalho, na vizinhança e na sua parentela. A lista de relacionamentos que exige paciência certamente continua!

Então, se o seu intervalo das últimas 24 horas foi um tanto parecido com o meu, provações, situações e até algumas pessoas irritantes mancharam o dia que você depositou aos pés do Senhor cedo de manhã. A sua fervente oração foi que Deus a ajudasse a viver esse único dia com ele, por ele, meio dele e para ele. Você queria tanto reagir aos eventos do dia com a graça dele, como ele faria, e refleti-lo aos outros.

Bem, certamente deveríamos começar o nosso dia com tal oração, tal desejo do coração. Não há nada de errado e nada mais certo do que querer viver por Jesus e como Jesus. Esse é o nosso alvo de cada dia!

## ◆ Jesus nos mostra o caminho

Ao continuarmos a admirar as qualidades magníficas que Jesus possuía, qualidades que também queremos reproduzir, podemos recorrer a Jesus para obter paciência. Ainda assim, é tão duro ser paciente, quando temos confrontos desagradáveis e deparamos com situações e pessoas que testariam a paciência de praticamente qualquer um. Então, o que Jesus nos mostrou e falou sobre a paciência no que diz respeito a pessoas e circunstâncias difíceis? Precisamos saber... e precisamos saber neste instante!

### QUANTAS VEZES EU DEVO PERDOAR?

Aqui vai um pequeno teste: Quão paciente você é com as falhas dos outros? Talvez alguém lhe deva dinheiro. Ou a falha deles poderia ser o seu comportamento, como mentir, usar linguagem inapropriada, ou o seu hábito de criticar. Talvez eles venham até você e peçam que, por favor, seja paciente, prometendo que retribuirão, mudarão o seu comportamento ou corrigirão os seus modos. E talvez isso aconteça novamente, vez após vez!

Qual o seu quociente de paciência quando você é repetidamente injustiçada por alguém? Você conseguiria pacientemente perdoar e aceitar a pessoa depois da primeira ofensa? E da segunda? E de outra e mais outra e mais outra? Já vimos esse exemplo antes neste livro, mas revisitemos a sessão de perguntas e respostas de Jesus com o seu discípulo Pedro.

PACIENTE 165

Desta vez, vamos visualizar a cena através das lentes da paciência. O que Jesus diz que devemos fazer quando somos injustiçados? Quando Pedro *aproximando-se dele, perguntou-lhe: Senhor, até quantas vezes deverei perdoar meu irmão que pecar contra mim? Até sete vezes? Jesus lhe respondeu: Não te digo que até sete vezes; mas até setenta vezes sete* (Mt 18.21,22).

O perdão é uma forma de mostrar paciência com relação às deficiências dos outros. Jesus pede a você e a mim para continuarmos sendo pacientes com os outros que pecaram contra nós. Para estarmos prontas a perdoar aqueles que erraram conosco, devemos aprender a lidar com eles com *espírito de mansidão* (Gl 6.1, ARC).

## UMA REAÇÃO CORRETA AO ABUSO

É duro de aguentar o abuso verbal! As pessoas podem usar a língua de forma cruel e nociva. As palavras podem devastar e faiscar fortes emoções em nós. A sua primeira reação natural — e carnal — pode ser atacar com a sua própria avalanche de palavras ásperas. É fácil abrir a boca e descarregar um palavreado horrível como resposta. Você pode até tentar justificar tal comportamento, dizendo que a outra pessoa começou. Você pode tentar dizer a si mesma que se sente melhor depois de desabafar e fazer essa pessoa saber exatamente como você se sente ou o que pensa. Pode até se surpreender tentada a fazer algo pior, como atacar fisicamente. Mas nós duas sabemos que atacar tanto verbal quanto fisicamente não é a reação que Jesus quer de nós. Ele nos mostra outro caminho, o caminho melhor — o caminho dele, um caminho que o reflete e representa de forma precisa.

Durante o início da manhã, antes da sua crucificação, Jesus, que era 100% perfeito e sem pecado, foi apresentado diante de vários grupos religiosos e políticos. O seu primeiro encontro foi com um grupo religioso que incluía o sumo

166  UMA MULHER QUE REFLETE O CORAÇÃO DE JESUS

sacerdote, os escribas e os anciãos. Eles tentaram trazer falsas acusações contra Jesus. Finalmente, em desespero, forjaram várias testemunhas que deram testemunho falso ou, pelo menos, distorcido contra Jesus. Durante todos os procedimentos, Jesus se manteve calado (Mt 26.57-63).

Qual era a fonte da paciência de Jesus, enquanto era abusado verbalmente e maltratado? Pedro descreveu a reação do Senhor desta forma: *Ele não cometeu pecado, nem engano algum foi achado na sua boca e ao ser insultado, não retribuía o insulto, quando sofria, não ameaçava, mas entregava-se àquele que julga com justiça* (1Pe 2.22,23). Em lugar de contra-atacar, Jesus se entregou ao Pai.

## ◆ Refletindo em seu coração

Recorrer a Deus por meio da oração é sempre a melhor reação para qualquer dificuldade. Esse primeiro passo nos dá tempo para discernir a forma certa para lidar com um problema e ajuda a praticar a paciência enquanto você ora e busca a direção de Deus. Ela a impede de sucumbir ao seu impulso inicial de atacar. É impossível orar e retribuir o abuso ao mesmo tempo. Orar permitirá que você entregue a si mesma e a situação nas mãos de Deus.

A sua reação silenciosa diante da crítica injusta, da culpa ou do mal-entendido dá muito fruto, além de dar glória e honra a Deus. É como Pedro explica: *Mas se suportais sofrimento quando fazeis o bem, isso é digno de louvor diante de Deus. Para isso fostes chamados, pois Cristo também sofreu por vós, deixando-vos exemplo, para que sigais os seus passos* (v. 20,21).

### AMAI OS VOSSOS INIMIGOS

Jesus, o sumo mestre, também nos instrui a respeito da paciência nos relacionamentos, especialmente com as pessoas problemáticas — até aquelas que ele intitula de inimigas. Ele diz: *Amai os vossos inimigos*. Então ele explica como isso é feito: *Orai pelos que vos maltratam* (Lc 6.27,28).

É claro que, sendo cristã, você e eu não devemos devolver o *mal com mal, nem ofensa com ofensa; pelo contrário, bendize* [r] (1Pe 3.9). O que Jesus espera de nós em vez disso é a reação piedosa da paciência, e a oração é a imagem perfeita da paciência em ação. Ele quer que nós não façamos nada em reação carnal com relação aos nossos inimigos, com relação àqueles que nos machucam de alguma forma. Em vez disso, devemos abençoar e orar. Não é exatamente isso o que Jesus fez quando orou por aqueles que o pregaram na cruz? *Pai, perdoa-lhes, pois não sabem o que fazem* (Lc 23.34). Então ore pelas pessoas difíceis na sua vida. Peça que Deus a preencha com a paciência dele. Use o seu coração para a oração, e não para o ódio.

## MAS UMA [COISA] SÓ É NECESSÁRIA

Assim como eu, estou certa de que você é culpada de ser grossa com as pessoas por causa de alguma situação de pressão. Quando estou sob pressão, ela pode me causar impaciência comigo mesma, com a minha agenda, com os meus compromissos... e com qualquer um que ouse se aproximar de mim! Eu sei que não estou sozinha, porque existe uma mulher na Bíblia que fez a mesma coisa. Felizmente, a minha impaciência não foi documentada para sempre no papel, como foi o episódio de Marta (consulte Lucas 10.38-42).

Jesus e os discípulos "deram uma passada" na casa de Maria para o que, estou certa de que todos esperavam, seria um agradável e sossegado jantar, e um tempo para descansar, relaxar e restaurar o corpo e a mente de todos. Mas isso não aconteceu, porque, em meio aos preparativos da refeição, Marta percebeu que a sua irmã, Maria, estava sumida.

UMA MULHER QUE REFLETE O CORAÇÃO DE JESUS

Assim que Marta por um tempo deixou a cozinha, detectou Maria simplesmente sentada (!) aos pés de Jesus, ouvindo-o ensinar. Bem, Marta desmoronou e, na sala cheia de convidados, praticamente exigiu que Jesus desse uma boa reprimenda em Maria por não ajudá-la na cozinha. A impaciência de Marta a impulsionou a atacar a sua irmã e acusar Jesus de não se importar com ela e o seu serviço doméstico.

Contudo, em lugar de dar uma reprimenda em Maria, Jesus pacientemente explicou a Marta o que era realmente importante — atender às necessidades espirituais acima das necessidades físicas. Ele disse: *Estás ansiosa e preocupada com muitas coisas; mas uma só é necessária; e Maria escolheu a boa parte, e esta não lhe será tirada* (v. 41,42).

◆ Refletindo em seu coração

Muito frequentemente a impaciência é o resultado da escolha de fazer as coisas na carne, na sua própria força. Você fica impaciente ou frustrada consigo mesma, ou com outra pessoa, porque o seu plano para o dia, evento ou padrão da sua vida parece bater numa barricada. Os seus sonhos simplesmente não estão se realizando. Os outros parecem falhar com você, e você se acha sozinha e tentando juntar os pedaços de algum projeto ou objetivo. Jesus está lhe dizendo, assim como disse a Marta, para reajustar o seu foco para o que é realmente importante: o seu relacionamento com ele. Seja paciente! Acalme-se! Vá devagar! Pare de lutar! Tome tempo para parar todas as atividades que a deixam assoberbada e sente-se. Recorra a Jesus, o seu maravilhoso, paciente, amável, sábio Senhor. Ouça a sua voz. Concentre-se nele. Recorde a vida dele e os textos bíblicos que o revelam. Então ore.

## O JUIZ ESTÁ ÀS PORTAS!

Numa noite, enquanto eu estudava com um grupo de mulheres sobre a paciência, deparamos com uma passagem encorajadora escrita por Tiago para um grupo de cristãos pobres e maltratados. O que você aconselharia tais sofredores a fazer? Tiago disse a esses leitores oprimidos: *Portanto, irmãos, sede pacientes até a vinda do Senhor. O lavrador espera o precioso fruto da terra, aguardando-o com paciência, até que receba as primeiras e as últimas chuvas. Sede vós também pacientes. Fortalecei o coração, porque a vinda do Senhor está próxima* (Tg 5.7,8).

À primeira vista, o meu grupo não estava muito certo do que isso tudo significava. Mas lemos o versículo 9: *O juiz está às portas!* Depois de um pouco de investigação, finalmente começamos a entender a conexão: O Senhor está chegando, e o Senhor é o juiz. Quando ele chegar, julgará todas as coisas e todas as pessoas, inclusive aquelas que nos perseguem e oprimem. Esse é o papel e o trabalho dele. Até o maravilhoso evento da volta do Senhor, o nosso papel e o nosso trabalho é permanecer pacientes com a nossa situação na vida e gastar as nossas energias desenvolvendo a nossa confiança no Senhor.

O seu coração está clamando: "Vem logo, Senhor Jesus"? Caso sim, não há nada de errado nisso. Quando o Senhor e juiz chegar à cena, fará certas todas as coisas. A opressão chegará ao fim. O nosso sofrimento terminará ao desfrutarmos da presença contínua de Jesus. Não somente isso, mas o Senhor nos recompensará pela nossa paciência com as pessoas difíceis. Ele punirá os nossos inimigos, julgando e corrigindo de forma apropriada os abusos. Então devemos suportar pacientemente qualquer sofrimento que enfrentarmos, porque o Senhor, o juiz, prometeu retornar e fazer certas todas as coisas.

### ◆ Refletindo em seu coração

Pergunte a si mesma: "Eu consigo esperar?" A Bíblia diz que você consegue e deve. Então escolha a pessoa na sua vida que lhe causou, ou está causando, a dor mais pessoal — a pessoa mais hostil, maldosa, ingrata, ou que a ignora, insulta, difama ou bloqueia o seu progresso. Diante do Senhor — o juiz —, ore pela graça de Deus e a sua ajuda para resistir a todo impulso de retaliar ou punir essa pessoa. Em vez disso, com paciência, não faça nada enquanto espera. Espere no Senhor, espere pelo juiz!

## ANDAI PELO ESPÍRITO

A vida não é simples, e isso é um consenso! Não há um dia que passe na minha vida (e eu imagino que na sua também) sem que haja problemas que exigem paciência. Qual o seu nível de paciência enquanto está presa no trânsito? Ou como você se aguentaria enquanto espera ansiosamente por alguma coisa boa (como conceber um bebê há muito esperado e desejado), ou espera em desespero por alguma coisa ruim (como a morte inevitável de um de seus pais ou de um amado que está em vias de morrer)? Paciência é a capacidade de tolerar o atraso, o problema ou o sofrimento sem ficar brava ou irritada e com a cabeça quente! Quando somos confrontadas por desafios, a paciência não costuma ser a nossa primeira reação normal. Como podemos mudar isso?

A resposta é o Espírito Santo. Jesus prometeu enviar um consolador, o Espírito Santo, para habitar com todos e em todos que creem nele e acompanhá-los (Jo 14.15-17). É o Espírito que capacita você e eu a exibir paciência até durante as nossas situações mais difíceis. Quando fizermos como somos ordenadas — quando *andarmos pelo Espírito* —, exibiremos e viveremos com paciência (Gl 5.16,22).

## ◆ Refletindo o coração de Jesus

Desde o Gênesis até o Apocalipse, vemos a paciência de Deus repetidamente em exibição. Numa ocasião, Deus Pai foi

PACIENTE 171

paciente com a sua criação pecadora. Ele esperou 120 anos (!) antes de enviar julgamento por meio de um dilúvio em escala mundial, que destruiu toda a humanidade da face da terra, exceto Noé e a sua família (Gn 6.3).

Jesus, como Deus encarnado, também refletiu esse mesmo coração paciente. Ele era paciente com os discípulos e a sua descrença. Ele era paciente com todos aqueles que eram genuínos no seu desejo de conhecê-lo e crer nele. Você consegue imaginar a paciência que o criador do universo possuía para trabalhar com um grupo de pessoas — a sua criação, até a sua própria família — que não conseguia compreender o que ele estava comunicando a respeito dele mesmo? Essa é a mesma paciência que Jesus estende a você. Ele sabe que você é uma obra em andamento.

Essa é a mesma paciência divina que Jesus quer que você tenha e encarne para os outros. Então treine a sua paciência. Alongue o seu pavio. Quanto tempo você consegue esperar antes de virar uma fera? Tente estender a sua paciência um pouco mais da próxima vez. Quantas vezes você consegue aguentar a pressão antes de desmoronar? Tente fazê-lo mais algumas vezes, quando for confrontada pelas dificuldades futuras. É aí onde a oração vem ao seu resgate. O seu Deus paciente, o Senhor Jesus, está disposto a lhe dar da sua paciência. É como ele disse: *Pedi, e vos será dado* (Mt 7.7).

## Uma oração

*Senhor Jesus, obrigada por seres paciente comigo. Parece que dou um passo para a frente e dois passos para trás. Ajuda-me a demonstrar aos outros, tanto os de casa quanto os da igreja e do trabalho, a paciência que mostraste para comigo. Dá-me um coração paciente que reflete o teu coração. Amém.*

# dia 19
# Pacífico

Como é difícil encontrar um lugar de paz nestes dias! Com certeza Los Angeles não é, ou pelo menos não era para mim e a minha família. Durante os mais de 35 anos lá, passamos por um roubo à nossa casa; uma batida no nosso carro em que o outro motorista fugiu; um incêndio nas montanhas ao redor do nosso vale, que fez o meu marido, Jim, precisar subir no telhado, mangueira em punho, encharcando o nosso telhado de madeira, avariado, para impedir que pegasse fogo; e os dois terremotos que alcançaram mais de 6.0 na escala Richter, um dos quais quase destruiu a nossa casa.

Mas deixa para lá! Aquele era o nosso lar e naquele tempo eu não percebia o que poderia estar faltando na minha vida. Eu também não tenho muita certeza se poderia descrever um lugar de paz de forma apropriada. Foi assim até nos mudarmos para a península *Olympic*, no estado sempre verde de Washington, onde finalmente experimentamos um verdadeiro lugar de paz... a oito quilômetros de lugar nenhum!

Permita que eu acrescente de forma rápida que um lugar de paz também tem sido algo difícil para as minhas duas filhas encontrarem. Uma estava morando em Nova York em 11 de setembro, quando as torres gêmeas do *World Trade Center* foram destruídas num ataque terrorista, e a outra foi evacuada duas vezes por causa de furacões e uma vez por causa de um *tsunami*.

Então, ao sairmos em mais um dia de jornada rumo ao caráter mais semelhante ao de Cristo, chegamos a uma qualidade e atitude mais elusivas, que é a paz. Agora, serei rápida ao afirmar que um "lugar" de paz é diferente de uma "atitude" de paz, ou paz no seu coração e na sua mente. Se você quer um lugar de paz, considere uma mudança para algum lugar sossegado a oito quilômetros de lugar nenhum! Mas se você quer experimentar uma atitude de paz, onde quer que você esteja, independentemente do que estiver acontecendo, mude-se para mais perto de Jesus.

Antes de olharmos para o exemplo daquele que também é conhecido como o *príncipe da paz* (Is 9.6), vamos analisar algumas verdades sobre a atitude da paz:

Nossa paz não tem nada a ver com a nossa situação, e tudo a ver com saber que temos um relacionamento com Jesus.

- Nossa paz não tem nada a ver com as nossas questões diárias, crises ou o último desastre, e tudo a ver com saber que Deus está no controle, que nada é um erro.
- Nossa paz não tem nada a ver com o que temos ou não temos, e tudo a ver com saber que Deus supre.
- Nossa paz é uma atitude interior de tranquilidade e serenidade que demonstra um coração em repouso, que experimentamos quando, independentemente do que está acontecendo à nossa volta, colocamos a nossa confiança completa em Jesus.

## ◆ Jesus nos mostra o caminho

Setecentos anos antes de Jesus nascer, o profeta Isaías, no Antigo Testamento, profetizou a vinda daquele que carregaria o título de *príncipe da paz* (Is 9.6). Essa pessoa era Jesus. Para começar a nossa observação da paz vivenciada por Jesus, vamos avançar para o fim da sua vida aqui na terra.

## O exemplo da paz de Jesus

A forma como Jesus reagia ao estresse e à turbulência é extremamente útil no crescimento à semelhança com Cristo. Jesus estava em grande conflito ao se aproximar da sua morte na cruz. Tanto que ele falou para vários de seus discípulos: *A minha alma está tão triste que estou a ponto de morrer* (Mc 14.34). Jesus, na sua humanidade, que foi tentado em todos os aspectos como nós somos, estava tendo um problema — uma tentação — com a paz interior. Ele sabia que tinha que sofrer e morrer, mas ainda enfrentava o estresse de passar pela realidade atual da dor e da morte.

Como Jesus encontrou a paz ao se dirigir a uma morte terrível? Ele *prostrou-se em terra e começou a orar para que, se possível, ele não tivesse de passar por aquela hora. E dizia: Aba, Pai, tudo te é possível. Afasta de mim este cálice.* Então, em total confiança, Jesus disse: *Todavia não seja o que eu quero, mas o que tu queres* (v. 35,36).

Nada havia mudado. Jesus ainda iria para a cruz. Mas agora ele estava pronto para fazer a vontade de Deus. Tudo havia sido resolvido e confirmado com o Pai, em oração. Como resultado, com segurança total e paz de espírito, Jesus poderia dizer a seus discípulos: *Levantai-vos, vamos embora! Aquele que me trai aproxima-se* (v. 42).

Entregar os seus medos para confiar completamente em Deus não é a confiança ou a fé encontrada na salvação. Ela é fruto da sua salvação. É a confiança que vem quando você enfrenta uma situação dolorosa ou angustiante e, em vez de entrar em pânico ou desmoronar, decide acreditar que Jesus está com você e por você, para ampará-la e sustentá-la.

### ◆ Refletindo em seu coração

Jesus lhe oferece uma escolha. Você pode escolher sucumbir aos sentimentos de pânico ou temor, ou pode colocar a sua confiança nele e ser preenchida com a sua paz. Então, quando as nuvens de tempestade emergirem e as coisas parecerem sair do controle, confie no todo-poderoso filho de Deus. Quando fizer isso, você experimentará a paz de Deus. Comece com as pequenas coisas (como "Senhor, ajuda-me a passar por este discurso", ou "Senhor, dá-me paciência por mais uma hora até as crianças irem para a cama", ou "Senhor, por favor, ajuda-me a chegar até o fim desta reunião de família"). Então, quando as nuvens realmente grandes e escuras — sua cruz para carregar, suas provações de vida ou morte — aparecerem no horizonte, a sua confiança será forte e a sua paz será para a glória de Deus.

## Jesus lhe oferece a sua paz

Jesus lhe disponibiliza a sua paz perfeita das seguintes formas — e lugares:

### O lugar de paz

O que é mais confortador e pacífico que o lar, doce lar? Um lugar onde você está cercada pela família e pelos amigos? Antes da sua morte, Jesus falou aos discípulos que logo os deixaria. Eles continuariam sem ele, sem a sua presença em carne. Eles precisavam saber que um dia haveria um lugar para eles, um lugar onde estariam com o próprio Jesus. Para consolá-los e acalmar as suas ansiedades, Jesus lhes falou: *Não se perturbe o vosso coração. Crede em Deus, crede também em mim. Na casa de meu Pai há muitas moradas; se não fosse assim, eu vos teria dito; pois vou preparar-vos lugar. E, se eu for e vos preparar lugar, virei outra vez e vos levarei para mim, para que onde eu estiver estejais vós também* (Jo 14.1-3).

### A pessoa de paz

Durante o ministério terreno de Jesus, sempre que ele enviava os discípulos, eles poderiam sempre voltar a ele se houvesse qualquer problema ou questão. Ele estava bem ali para aju-dar. Portanto, Jesus estando com os discípulos, eles eram quase sempre capazes de se manter unidos. Agora que Jesus estava partindo, ele queria tranquilizá-los de que não seriam abandonados. Ele enviaria alguém que serviria como o seu consolador. Como isso era reconfortante! Eles poderiam ter paz de espírito sabendo que Jesus ainda estaria com eles por meio do Espírito Santo. Ele explicou: *Eu rogarei ao Pai, e ele vos dará outro consolador, para que fique para sempre convosco* (v.16).

O Espírito Santo é o nosso ajudador, mestre e consolador pessoal (Jo 14.26). Ao sermos obedientes para receber instru-ção, orientação e direção, o Espírito nos capacita a experi-mentar a paz interior. Quando permanecemos em Cristo e andamos pelo Espírito, manifestamos o fruto da sua presen-ça — a sua paz (Gl 5.22).

## A promessa de paz

Vimos Jesus preparando os seus discípulos com amor para a sua morte e partida. Durante os últimos meses de Jesus na terra, os seus discípulos foram a sua maior preocupação. Aca-baram-se os dias de ministrar às multidões e o clamor das massas. Jesus focou a sua atenção nesses homens frágeis e confusos durante os seus dias e suas horas finais.

Ao se aproximar o fim, Jesus sabia que logo deveria deixar os seus caros amigos. Estava na hora de suas palavras de des-pedida. Até esse ponto, sem usar a palavra "paz", Jesus havia prometido aos discípulos um lugar de paz (céu) e uma Pessoa de paz (o Espírito da paz, o Espírito Santo).

Finalmente, Jesus os confortou com estas palavras tran-quilizadoras e inesquecíveis: *Deixo-vos a paz, a minha paz vos dou. Eu não a dou como o mundo a dá. Não se perturbe o vosso co-ração nem tenha medo* (Jo 14.27). Nos tempos do Novo Testa-mento, a forma costumeira de dizer "Adeus" era dizer "Paz", ou, mais especificamente, o termo hebraico *Shalom*. Embora Jesus estivesse deixando os seus discípulos, ele estava lhes deixando um legado: *A minha paz vos dou*. Uma vez que Jesus não estivesse mais em cena, os seus seguidores teriam a *paz de Deus* (Fp 4.7) para guardar a sua mente e o seu coração. O mundo não pode dar esse tipo de paz, mas Jesus pode, e dá!

## ◆ Refletindo em seu coração

Qual é aquela "uma coisa" que acalma os seus medos e reduz as suas ansiedades? Obviamente não é a liberdade de suas distrações ou escapismo. Diversões, passatempos e viagens também não são a resposta. O mundo oferece tais recreações como substitutos. Na realidade, somente uma coisa — ou pessoa — pode lhe oferecer a paz. E você sabe quem é. É Jesus. A paz que ele lhe está oferecendo é diferente. Como a paz de Jesus se derivava do seu relacionamento com o Pai, ele está lhe oferecendo a sua paz por meio de um relacionamento com ele.

Sua vida é estressante? Você precisa de paz? Permita que o Espírito Santo a preencha com a paz de Cristo. Entregue todos os seus medos e ansiedades a Jesus em oração. *Não andeis ansiosos por coisa alguma; pelo contrário, sejam os vossos pedidos plenamente conhecidos diante de Deus por meio de oração e súplica com ações de graças; e a paz de Deus, que ultrapassa todo entendimento, guardará o vosso coração e os vossos pensamentos em Cristo Jesus* (Fp 4.6,7).

## ◆ Refletindo o coração de Jesus

Estou certa de que agora você sabe que a atitude da paz normalmente não é a sua primeira reação à maioria das situações e possibilidades. Talvez você fique ansiosa com a segurança física dos membros da sua família, especialmente dos seus filhos, ao serem expostos a um mundo mau. Ou só de imaginar um acidente de carro enquanto você está passando a 110 quilômetros por hora na rodovia, com os carros voando nas quatro faixas de trânsito, nas duas direções, dá um nó no seu estômago. Você pode ter momentos de pânico, terror ou temor em inúmeras situações. Mas lembre-se: quando Jesus ofereceu a paz aos seus discípulos, ele também estava oferecendo a paz a você. Como você pode experimentar essa paz?

*Ore.* Você pode ter a paz de Jesus orando. Siga o exemplo de Jesus no jardim de Getsêmani. Quando estava perturbado, ele orava. A oração é um ato de fé. A oração indica que você está vindo a Jesus pela ajuda dele. Você está lhe pedindo para suprir qualquer coisa que seja necessária para passar pelo seu problema ou por sua situação, seja uma questão em casa, seja um problema no seu coração.

*Obedeça.* Você experimentará a paz quando seguir a orientação do Espírito Santo. Jesus era obediente à vontade do Pai e tomou o caminho mais difícil — o caminho da cruz. A paz dele repousava na obediência dele ao Pai. Sua obediência trará essa mesma paz de espírito e de coração a você.

*Confie. Confia no SENHOR de todo o coração* (Pv 3.5). Você experimentará a paz de Deus quando

- decidir confiar na presença de Jesus e não entrar em pânico;
- confiar na sabedoria e nos caminhos de Jesus e se recusar a se estribar em seu próprio entendimento e em sua própria sabedoria;
- confiar que Jesus sabe o que é melhor e estiver disposta a deixá-lo liderar a sua vida.

Ao orar, obedecer ao Senhor e confiar nele, você refletirá a paz que só Jesus traz. Jesus andou na terra com paz perfeita, porque ele confiava no Pai em todas as coisas e para todas as coisas. Ao seguir o seu exemplo, você refletirá Jesus e será um testemunho vivo da sua graça salvadora e da paz de Deus que excede todo o entendimento.

## Uma oração

Querido Senhor, obrigada porque a tua missão era trazer a paz ao mundo por meio da tua morte e ressurreição. Ajuda-me a confiar em ti em cada área da minha vida, para que eu possa experimentar a tua paz — a paz que vai além da compreensão, a paz que guardará o meu coração e a minha mente contra todo medo e toda ansiedade, independentemente do que acontecer. Amém.

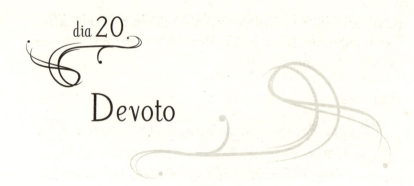

# dia 20

# Devoto

Frequentemente, quando falo em conferências para mulheres, eu descrevo as origens de um dos meus livros. *Uma mulher segundo o coração de Deus* teve o seu início por meio de um livro com páginas em branco, que a minha filha Katherine me havia presenteado no último Dia das Mães. Depois de semanas exibindo o livreto na mesa de centro, o coloquei entre dois livros maiores na estante, durante um frenesi para tirar o pó. Afinal de contas, imaginei, o que eu poderia fazer com um livro cheio de páginas em branco?

Vários anos mais tarde, no meu aniversário de dez anos de vida espiritual, eu me sentei na sala de estar agradecendo a Deus pela sua graça salvadora. Esse tempo de oração foi seguido pela pergunta a Deus do que estava faltando na minha vida cristã. Antes que eu pudesse colocar o ponto de interrogação na pergunta, eu já sabia exatamente o que estava faltando — a oração! Imediatamente, pulei e recuperei aquele maravilhoso livreto que ganhara de presente da minha filha, quando ela tinha entre 10 e 12 anos de idade, e determinei que eu começasse a minha nova disciplina de oração usando-o como um diário de oração. Bem, desde então aquele pequeno livro de páginas em branco evoluiu para arquivos — e até pastas de arquivos — de diários completos de pedidos de oração feitos e respondidos. O livro *Uma mulher segundo o coração de Deus* veio como resultado do aprendizado de orar sobre as minhas prioridades e papéis como mulher, esposa e mãe cristã.

### ◆ Jesus nos mostra o caminho

Penso que você concordaria plenamente comigo quando menciono que a oração é difícil. Sim, a oração é uma bênção e uma experiência espiritual rica. Mas talvez seja por causa dos nossos muitos afazeres, da nossa falta de fé no poder da oração, ou seja lá o que for, que nós (ou pelo menos eu) não oramos tão frequentemente ou tão calorosamente quanto deveríamos. Ainda assim, mais uma vez, ao observarmos a virtude de hoje, como sempre e em todas as coisas, Jesus é o modelo perfeito da devoção. Enquanto considerávamos a fidelidade de Jesus num dos capítulos anteriores, vimos que ele vivia em espírito de oração verdadeira. Ele orava sozinho com o Pai num lugar afastado, e orava no meio da multidão esmagadora. Orar era a sua vida, o seu hábito. Ele orava em toda situação, em toda emergência, em toda oportunidade e por todas as questões. Nada era pequeno demais para não merecer as suas orações.

Se você está insatisfeita com a sua vida de oração (e quem não está?), então parar para observar o hábito de oração de Jesus pode ajudar a supri-la com inspiração e percepções maravilhosas para desenvolver uma vida de oração mais fiel e consistente.

#### ORE PELA VONTADE DE DEUS

A leitura dos evangelhos nos mostra muitos retratos de Jesus em oração. Precisamos ter sempre em mente o fato de que Jesus tinha o hábito de orar antes dos eventos importantes e sobre as decisões importantes da sua vida. Por exemplo:

*Jesus orou ao iniciar o seu ministério* — O batismo de Jesus foi um marco importante na vida dele. Ele aclamava o início do seu ministério público. Como ele abordou esse momento histórico? Nós o encontramos realizando o seu primeiro momento de oração registrado. *Depois que todo o povo fora batizado, e Jesus também, enquanto ele orava, o céu se abriu; o Espírito Santo desceu* (Lc 3.21,22).

Seja qual for o ministério que você tem, ele perde a cor em comparação com o que Jesus fez. Todavia, é o seu ministério. E o seu ministério merece — e exige — as suas orações, pois é o trabalho que Deus lhe deu para fazer, de acordo com a vontade dele, da forma que o agrada e para o benefício do seu povo (1Co 12.7,11,18).

*Jesus orou ao escolher os seus discípulos* — Jesus tinha muitos seguidores, mas desejou escolher doze para serem líderes, apóstolos, "enviados". A esses homens seria dada autoridade especial para compartilhar a mensagem dele ao mundo. Essa seleção marcaria o início do treinamento concentrado dos doze homens que levariam o evangelho aos confins da terra. Essa era definitivamente uma ocasião histórica. Como Jesus escolheria todos aqueles que deveriam segui-lo? Novamente, a oração era a resposta: *Jesus se retirou para um monte a fim de orar; e passou a noite toda orando a Deus. Depois do amanhecer [...] escolheu doze dentre eles, aos quais também chamou de apóstolos* (Lc 6.12,13).

## ◆ Refletindo em seu coração

Como mulher cristã, Deus deseja que você discipule, oriente e treine as "mulheres mais novas" da sua família, igreja e do seu círculo cristão, fielmente lhes ensinando as *boas coisas* (Tt 2.3,4). Esse chamado de Deus é também um chamado para orar. Então tenha como objetivo orar ao se preparar para essa atribuição dada por Deus. Ore para que você seja amigável e disponível às mulheres mais jovens. Ore sobre com quantas moças você pode gastar tempo. E, como Jesus, ore sobre cada uma delas.

*Jesus orou antes de ir para a cruz* — Nesse último cenário, o tempo de Jesus na terra estava se encerrando. O seu tempo para treinar os discípulos também tinha acabado. Na verdade, ele e os doze tinham desfrutado de um evento denominado de "Última Ceia". Ele sabia que a sua morte na cruz estava à sua frente e sabia de todas as suas implicações para a humanidade. Então se dirigiu, com os discípulos, ao jardim de Getsêmani, o seu lugar habitual de oração, para orar. A sua iminente crucificação seria excruciantemente dolorosa e difícil, e a sua alma estava em angústia. Portanto, ele orou.

A angústia do Senhor tinha pouco a ver com o medo da tortura física da cruz ou até com a sua morte. Não, ele estava infeliz por causa do cálice cheio do julgamento divino contra o pecado que ele em breve tomaria. Como Jesus lidou com essa situação horrenda? *Meu Pai, se possível, afasta de mim este cálice* (Mt 26.39). Ao orar pela segunda vez, e pela terceira vez, as suas orações mudaram para refletir a força poderosa da sua determinação: *Meu Pai, se não for possível afastar este cálice sem que eu o beba, seja feita a tua vontade* (v. 42).

Você e eu nunca saberemos ou experimentaremos nada como o que Jesus passou ao se preparar, enfrentar e suportar a morte numa cruz. Mas nós realmente sofremos — dor física, dor emocional, perdas em nossa vida, circunstâncias difíceis, relacionamentos desafiadores e mais! Você sabe o que precisa fazer para se preparar para enfrentar e suportar o seu sofrimento? Orar!

Jesus mostra a você e a todos os cristãos, a importância de orar quando precisa tomar decisões e receber direção para a sua vida. Ele orava quando tinha que tomar uma decisão importante ou especial, ou quando uma ocasião penosa se apresentava. O hábito de oração de Jesus nos ensina também como tirar vantagem do poder e da graça de Deus. O desejo de Jesus era seguir a vontade do Pai de forma completa, e a oração era uma parte vital para a sua tomada de decisão. O mesmo é verdade para você ao buscar a vontade de Deus.

## ◆ Refletindo em seu coração

Ao pensar sobre a sua vida e os dias à sua frente, que evento importante está para acontecer? De que orientação você precisa para o seu futuro ou o futuro de um de seus filhos? Que força está faltando para uma decisão impossível, mas necessária? Siga o exemplo do Senhor e, como ele, ore. Deus lhe dá um recurso efetivo na oração. É como um dos meus versículos favoritos de convite à oração propõe: *Portanto, aproximemo-nos com confiança do trono da graça, para que recebamos misericórdia e encontremos graça, a fim de sermos socorridos no momento oportuno* (Hb 4.16).

### Orem uns pelos outros

O livro de Hebreus contém uma declaração maravilhosa sobre o ministério presente de Jesus. Ali aprendemos que ele *também pode salvar perfeitamente os que por meio dele se chegam a Deus, pois vive sempre para interceder por eles* (Hb 7.25). O ministério intercessor de Jesus começou enquanto ele ainda estava na terra. A intercessão pelos outros — como mediador ao Pai por eles — era uma característica dominante nas orações de Jesus durante o seu tempo na terra... e ainda é!

Por exemplo, na noite antes da sua crucificação, Jesus disse ao seu discípulo Pedro que o diabo havia pedido permissão para peneirá-lo como o trigo, referindo-se a uma prova severa por vir. Ainda assim, Jesus tranquilizou a Pedro que ele — o próprio Senhor! — havia orado para que a fé de Pedro não falhasse. Jesus havia intercedido e intervindo em nome de Pedro (Lc 22.31,32).

Mais tarde naquela mesma noite temível, apenas algumas horas antes da sua morte, Jesus transborda em sua grande oração intercessora em João 17. Note o conteúdo geral da sua famosa oração pelos outros, incluindo você e eu. Primeiro, o nosso Senhor orou por ele mesmo, que ele fosse glorificado no Pai (v. 1-5). Depois, Jesus intercedeu pelos discípulos (v. 6-19). Ele orou para que o Pai os livrasse do mal e os santificasse pela verdade da Palavra de Deus. Então, Jesus olhou em direção ao futuro e orou por todos que se tornariam crentes, incluindo você e eu (v. 20-26). Ele pediu pela nossa unidade, pela habitação do Espírito e que um dia todos os crentes estivessem com ele no céu.

Você se sente tocada? Pensar que há tantos séculos Jesus pensou em nós e orou por nós! A intercessão pelos outros era imensamente importante para ele. Focar nele mesmo era uma coisa, especialmente quando estava olhando para a cruz. Mas ter tempo, cuidado e amor para trazer os seus doze discípulos — e nós — diante do Pai é outra, bem diferente. Por meio do ministério de Jesus de interceder pelos outros, podemos apenas concluir que, se tal intervenção era importante para ele, é da mesma forma importante para nós *orarmos uns pelos outros* (Tg 5.16).

Esses breves exemplos das orações de Jesus pelos outros (incluindo você!) são um lembrete de que você está em batalha espiritual feroz. As orações do filho de Deus deveriam torná-la mais consciente de que Satanás e as suas forças estão numa grande luta contra Deus pelo coração e pela alma dos homens. Por essa razão, Jesus intercedia pelos discípulos e continua a interceder por todos os cristãos de hoje— incluindo você. Ele está orando para que o Pai a mantenha separada, santa e pura, a salvo do poder do diabo. Jesus também ora pela unidade da sua Igreja e entre os seus membros.

### ◆ Refletindo em seu coração

Para refletir o amor de Jesus pela oração, siga o exemplo de Jesus e ore pelos outros — pela sua proteção contra o mal; pela sua santidade; pela unidade entre as pessoas da sua igreja e do corpo de Cristo. Saber que Jesus está intercedendo por você deveria lhe dar grande segurança, ao orar também: *seja feita a tua vontade, assim na terra como no céu* (Mt 6.10).

## ORE AO PAI

Quando Jesus pronunciou o seu Sermão do Monte, ele descreveu o que envolve viver o reino. Ele distinguiu uma prática comum entre algumas pessoas, especialmente os líderes religiosos que queriam ser vistos como "santos". Esses farsantes usavam orações públicas como forma de chamar a atenção para eles mesmos. Jesus os chamou de "hipócritas" (Mt 6.5) e alertou aos seus ouvintes — e a você e a mim, suas leitoras — que as nossas orações não devem ser para impressionar as pessoas. Jesus falou aos seus seguidores: *Mas tu, quando orares, entra no teu quarto e, fechando a porta, ora a teu Pai que está em secreto; e teu Pai, que vê o que é secreto, te recompensará* (v. 6).

As suas orações são para ter comunhão particular com Deus. Ele, e somente ele, é a audiência de suas orações, sejam em particular ou em público, e o único a quem você deveria se dirigir. Isso não significa que é inconveniente orar em público. Mas significa de fato que, antes de orar em público, você deveria sondar o seu coração. Considere que Deus é a audiência, a sua real audiência, quando orar. Quem importa não são aqueles que estão ouvindo as suas orações, mas o próprio Deus.

## SENHOR, ENSINA-NOS A ORAR

Você já sentiu que simplesmente não sabe orar? Talvez você já tenha estado num estudo bíblico ou numa aula em que durante o tempo de oração todos pareciam falar tão naturalmente e à vontade como se eles orassem e orassem e orassem.

Depois, quando você foi embora, talvez estivesse desejando que alguém pudesse ensiná-la a como orar.

Parece que os discípulos de Jesus tinham a mesma sensação. Muitos deles tinham assistido a João Batista orar. (Você consegue imaginar?) Então, ao começarem a seguir Jesus, assistiram a ele e o ouviram orar também. (Você consegue imaginar ver e ouvir Deus em carne em oração?!) Eles testemunharam a sua dedicação à oração e ouviram da sua paixão. Eles estavam captando a mensagem — há grande poder na oração, e os benefícios são muitos! Então, depois de um dos momentos de conversa de Jesus com o seu Pai celestial, os seus discípulos vieram ao mestre da oração e lhe pediram: *Senhor, ensina-nos a orar* (Lc 11.1).

A resposta de Jesus? Foi nesse ponto que Jesus ofereceu aos discípulos a oração-modelo, e a mesma oração fornece um modelo para você e todo seguidor de Cristo hoje. Essa oração se encontra em Mateus 6.9-13 e é indicada normalmente como a oração do Pai- nosso. Mas, mais precisamente, é a "oração dos discípulos", pois Jesus lhes disse que orassem *deste modo* (v. 9).

Essa oração-modelo é apenas isto: um modelo. Há centenas de anos, Jesus estava dando um guia para todos os cristãos de todos os tempos. Ele deu uma amostra de alguns elementos que deveríamos incluir nas nossas orações. A melhor forma para você aprender como orar é seguir o modelo dele. Faça o que ele fazia e ore como ele orava. O Senhor orava a todo tempo por todas as coisas, assim como você deveria fazer. Ele orava fiel e sinceramente, assim como você deveria fazer. E ele orava pelo bem do povo de Deus, assim como você deveria fazer.

### ◆ Refletindo o coração de Jesus

Orar, para Jesus, era como respirar. É como se ele não pudesse viver sem a oração. O seu único desejo era cumprir a vontade do Pai. Na sua última oração registrada antes de ser pregado na cruz, ele disse: *Eu te glorifiquei na terra, completando a obra da qual me encarregaste* (Jo 17.4). Como ele foi capaz de fazer isso? A oração era a maior ferramenta de Jesus para realizar o objetivo de cumprir a vontade de Deus.

As bênçãos da oração a aguardam, as bênçãos da comunhão com Deus. (Pense — você está falando com Deus!) As bênçãos de destruir o pecado e crescer mais e mais à imagem de Jesus. As bênçãos de conversar com Deus... antes de tomar as suas decisões e antes de cometer erros demais. E as bênçãos de amar as pessoas e se importar com elas o suficiente para pedir a Deus para trabalhar na vida delas. O melhor de tudo: criar o hábito da oração na sua rotina diária produzirá o caráter semelhante ao de Cristo na sua vida... o que levará à bênção de refletir o grande coração de Jesus!

Tudo isso — e muito mais! — é realizado por meio da oração. É como o grande reformador protestante Martinho Lutero escreveu: "Quanto menos eu oro, mais difícil fica; quanto mais eu oro, melhor vai". Então, nas palavras de outro homem santo: "A principal lição sobre a oração é apenas esta: Ore! Ore! Ore! Você quer aprender a orar? [A] resposta é: ore".[1]

## Uma oração

*Jesus, eu reconheço a necessidade, importância e bênção de ser uma mulher de oração. Ajuda-me a orar, para me tornar uma mulher segundo o teu coração, que ora fielmente como tu o fizeste. Amém.*

[1] John Laidlaw (1832-1906), ministro e teólogo escocês.

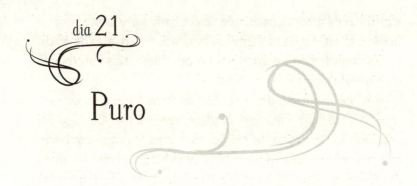

# dia 21

# Puro

Eu sinto muito, mas estou rindo só de pensar na palavra "puro". Isso porque ontem mesmo tive de tirar um pote de dois litros de calda de bordo da minha geladeira para dar espaço para outra coisa. Ver e tocar esse recipiente gigante de calda disparou minha memória para quando o adquiri. Eu estava no Maine visitando a minha filha e a sua família, e saímos de carro numa viagem que levaria um dia. Por muitos quilômetros ao longo da estrada, vimos placa após placa anunciando "Calda de bordo adiante". Na minha casa, quando criança, os meus pais faziam a sua própria calda de bordo, sempre a melhor. Então eu mal podia esperar para comprar calda de bordo verdadeira, de um estado coberto por árvores de bordo.

Finalmente chegamos ao mercado à beira da estrada, e era inacreditável a quantidade de tipos de calda de bordo! Como eu conseguiria decidir qual comprar? Então descobri a única marca que dizia no rótulo "Calda de bordo 100% pura". Você já adivinhou — foi essa que eu comprei. (Que pena que eu não pensei como levaria esse pote gigante de calda de bordo no avião, na volta para Seattle, Washington!)

Quando você ouve as palavras "puro" ou "pureza", o que vem à sua mente? Lamentavelmente, não é a qualidade da comida que compramos. Em nossa sociedade, a maioria das pessoas pensa em pureza sexual. Mas a pureza tem significados mais amplos, que se aplicam à nossa mente e ao nosso espírito. Pureza significa basicamente que nada é adicionado ou tirado de uma pessoa ou objeto, tais como ouro ou cores de tinta.

Em nossa sociedade, a pureza se tornou um conceito estranho e de outro mundo. Nada é verdadeiro. Ou algo foi adicionado ou tirado de praticamente tudo o que conhecemos, usamos e consumimos hoje. Mas há uma coisa — ou eu deveria dizer uma pessoa — a quem nada foi adicionado ou de quem nada foi tirado por toda a eternidade. Essa pessoa é Deus. Ele é o único ser eternamente puro e imutável de todo o universo.

## A SANTIDADE E A PUREZA DE DEUS

Deus está totalmente separado da sua criação. Ele é inigualável. É como Moisés escreveu: *Quem entre os deuses é como tu, ó SENHOR? Quem é como tu, poderoso em santidade, admirável em louvores, capaz de maravilhas?* (Êx 15.11). Deus é absolutamente puro e absolutamente bom, porque ele é santo. Portanto, ele é intocado e imaculado pelo mal no mundo. Como tal, ele não pode, de forma alguma, participar do pecado e do mal. O profeta Habacuque descreveu a pureza de Deus, dizendo: *Tu, que és tão puro de olhos, que não podes ver o mal e não podes contemplar a maldade!* (Hb 1.13).

A perfeição de Deus é o padrão para o nosso caráter moral e a motivação para as nossas práticas religiosas. Deus é perfeito, e um padrão semelhante é esperado daqueles que o adoram (Mt 5.48).

## OS CRENTES SÃO CHAMADOS A SEREM COMO DEUS

Por toda a Bíblia se repete que os crentes devem ser como Deus. Como filhas de Deus, devemos ser como o nosso Pai, refleti-lo e representá-lo. Então, como ele, devemos ser santas, o que significa ser puras. Isto é o que o Senhor Deus falou aos filhos de Israel: *Santificai-vos e sede santos, porque eu sou santo* (Lv 11.44). Devemos buscar a mesma santidade que é a base da natureza do próprio Deus. Agora a grande pergunta é: Como? (ou talvez: Uau! Como?). Felizmente, Jesus nos mostra o caminho para atingirmos esse alto e aparentemente inatingível padrão.

## ◆ Jesus nos mostra o caminho

Há apenas três humanos puros que já viveram — Adão e Eva (antes da Queda) e Jesus. Porque Adão e Eva sucumbiram à tentação e decidiram pecar, Jesus é o único padrão pelo qual devemos medir a nossa conduta humana, e isso inclui a pureza e a santidade. Jesus nos fala o que é perfeito e puro e vive dessa forma para podermos ver! Como deveríamos reagir à sua pureza e santidade? Observe a reação das pessoas a seguir, quando se deram conta da pureza e da santidade de Jesus.

AFASTA-TE DE MIM, PORQUE SOU UM HOMEM PECADOR

Pedro e alguns outros discípulos foram seguidores de Jesus desde o início do seu ministério, mas até Jesus os chamar formalmente para se tornarem discípulos, eles ainda ganhavam a vida pescando. Não levou muito tempo para Jesus atrair seguidores — todo lugar aonde ele ia, uma grande multidão se juntava. Uma manhã, Jesus se aproximou de Pedro e de seu irmão André, e dos irmãos Tiago e João, depois de terem pescado a noite toda e não pegarem nada. Jesus entrou no barco de Pedro e pediu que este o levasse alguns metros para longe da borda enquanto os homens estavam à beira do mar da Galileia limpando suas redes. Ele queria uma posição mais estratégica para ensinar ao grande grupo de pessoas que estava se empurrando e congestionando próximo à margem enquanto tentavam ouvir Jesus (Lc 5.1-3).

192 UMA MULHER QUE REFLETE O CORAÇÃO DE JESUS

Quando Jesus terminou de ensinar, pediu que Pedro conduzisse o barco para águas mais profundas e jogasse a sua rede de pesca. Lembre-se, Pedro e os outros tinham pescado a noite toda sem nenhum resultado. Pedro, um pescador profissional, imaginou que seria inútil tentar novamente. Mas, porque respeitava Jesus como mestre, ele levou a cabo o pedido de Jesus. Milagrosamente, Pedro e os outros pescadores pegaram tantos peixes que as suas redes estavam se rompendo e os barcos, afundando. De repente, Pedro reconheceu Jesus como o Messias e *prostrou-se aos pés de Jesus, dizendo: Afasta-te de mim, Senhor, porque sou um homem pecador!* (v. 8). O profeta Isaías teve uma reação semelhante, quando teve uma visão de Deus. Ele exclamou: *Ai de mim! Estou perdido; porque sou homem de lábios impuros e habito no meio de um povo de lábios impuros; e os meus olhos viram o rei, o Senhor dos Exércitos!* (Is 6.5).

Pedro não teve nenhuma visão, mas reconheceu a verdadeira identidade de Jesus por meio do milagre que havia acabado de ocorrer e, instantaneamente, teve ciência da santidade e da pureza inerentes de Jesus. Essa revelação tornou Pedro dolorosamente consciente da sua própria pecaminosidade e fez que ele caísse aos pés de Jesus e confessasse o seu pecado.

## ◆ Refletindo em seu coração

O que você pensa a respeito de Jesus? Você o considera simplesmente um grande mestre? Um profeta? Um homem bom? Um líder poderoso? A maioria das pessoas gosta de ler as "histórias de Jesus". Mas nenhuma dessas perspectivas sobre Jesus mudará a sua vida de forma radical, de dentro para fora. Razões como essas não a levarão a reconhecer as suas impurezas, o seu pecado. Abra os seus olhos e o seu coração. Veja Jesus por quem ele é. Ele é santo. A sua pureza começa quando você reconhece a sua pecaminosidade, assim como a inocência e a santidade de Jesus, e escolhe buscar para si mesma a pureza que somente Jesus pode oferecer.

## ESTE HOMEM NÃO FEZ MAL ALGUM

Pedro reconheceu Jesus como Deus... e caiu de joelhos em adoração e confissão. Agora note a variedade de reações de outras pessoas de várias esferas profissionais.

*Judas* — Quando esse discípulo viu a horrível injustiça que havia infligido a Jesus ao traí-lo por dinheiro, ele tentou devolver as trinta moedas de prata que lhe foram pagas. É como ele explicou ao sumo sacerdote e aos anciãos: *Pequei traindo sangue inocente* (Mt 27.4). Lamentavelmente, Judas nunca se arrependeu e acabou se enforcando. A reação de Judas foi de desespero.

*A esposa de Pilatos* — Enquanto Pilatos, o governador romano, presidia o julgamento de Jesus, algo um tanto maravilhoso ocorreu. A esposa de Pilatos lhe enviou uma mensagem, dizendo: *Não te envolvas na questão desse justo, porque hoje em sonho sofri muito por causa dele* (Mt 27.19). A esposa de Pilatos via Jesus como um homem "justo", um homem que era moralmente correto e honesto — e ela queria que o seu marido não tivesse nada a ver com a condenação dele. A reação dela foi de evitar Jesus.

*O ladrão na cruz* — Dois ladrões foram crucificados ao lado de Jesus. Um deles foi condenado por todo o ocorrido. Ele viu como os líderes religiosos zombavam de Jesus e o rejeitavam, mas o outro ladrão teve uma reação diferente: ele admitiu que merecia morrer, por causa do que havia feito de errado. Ele testificou da inocência de Jesus, dizendo: *Este homem não fez mal algum* (Lc 23.41). *Então disse: Jesus, lembra-te de mim, quando entrares no teu reino. E Jesus lhe respondeu: Em verdade te digo que hoje estarás comigo no paraíso* (v. 42,43). O ladrão reconheceu a integridade e a santidade de Jesus e reagiu em fé.

## É VERDADE, ESTE ERA O *FILHO DE DEUS!*

Se eu fosse escrever um romance biográfico, provavelmente descreveria a cena da crucificação com algo mais ou menos assim:

> O dia começou com os "afazeres de costume" para o centurião e os seus homens, ao irem trabalhar. Lamentavelmente, o trabalho deles incluía escoltar prisioneiros condenados ao lugar em que deveriam ser executados pela mais dolorosa das mortes — a crucificação. O serviço deles não era julgar, apenas cumprir o veredito de outros. Nesse dia, eles conduziram três homens para serem executados. Mas algo incomum estava prestes a acontecer nesse dia peculiar.
>
> Um dos prisioneiros era diferente. O seu nome era Jesus, e o seu único crime era ser Rei dos judeus. Depois de todos os julgamentos, exames e interrogatórios, esse era o único crime de Jesus. A sua pureza como sacrifício perfeito foi novamente afirmada.
>
> Os soldados assistiam, conforme os eventos começaram a se desdobrar: caíram trevas, túmulos se abriram ao redor deles, e os mortos saíam, e até na morte esse Jesus parecia ser diferente. Esses soldados brutos e cruéis puderam chegar a apenas uma conclusão: *O centurião e os que com ele vigiavam Jesus, vendo o terremoto e as coisas que aconteciam, ficaram aterrorizados e disseram: É verdade, este era o filho de Deus* (Mt 27.54).
>
> Enquanto os líderes religiosos celebravam a morte de Jesus, esses homens pagãos reconheceram a sua inocência. Eles reagiram às coisas extraordinárias que estavam acontecendo. Eles observaram as reações incomuns de Jesus ao sofrimento e à morte. Como resultado, foram os primeiros a proclamar Jesus como filho de Deus depois da sua morte.

O centurião e aqueles que estavam com ele reagiram com temor, e eles estavam certos de ficarem com medo. Eles tinham acabado de testemunhar algo temível e aterrador. Lamentavelmente, os soldados reconheceram Jesus como filho de Deus, ainda que não tenham reagido em fé.

## ◆ Refletindo em seu coração

Se você é uma crente em Jesus, o medo não é uma reação que ele quer de você. Jesus deseja o seu amor, a sua adoração, a sua obediência e a sua pureza. Ele tirou o seu pecado, e agora você é livre para viver uma vida abundante. Agradeça-lhe e louve-o com todo o fôlego. Não se esqueça deste aviso sobre o perigo de ignorar a pureza: *Se continuarmos intencionalmente no pecado, depois de receber o pleno conhecimento da verdade, já não resta mais sacrifício pelos pecados* (Hb 10.26). Novamente, agradeça a Jesus pelo seu sacrifício. E faça o propósito de viver em pureza.

## ◆ Entendendo mais sobre a pureza

*A pureza está no topo da lista divina de prioridades para as mulheres* — Fica muito claro na Bíblia que Deus quer que as suas filhas sejam puras. Em Tito 2.3-5, Deus fala às mulheres mais velhas da igreja para ensinar as mulheres mais jovens. Apenas seis tópicos são relacionados para as mulheres mais velhas ensinarem, e a pureza é um deles: *ensinem as mulheres novas [...] a serem [...] puras* (v. 5). Isso definitivamente coloca a nossa pureza no topo da lista de Deus! A pureza faz parte da sua lista do que "fazer e ser"?

*A pureza não acontece automaticamente* — Por causa da nossa natureza caída, a pureza não vem naturalmente. Na verdade, o oposto é que vem naturalmente! Então você e eu devemos fazer um esforço para evitar pessoas, lugares e práticas que poderiam nos tentar a pensamentos e atos impuros. Isso significa que devemos *fugir* [...] *das paixões da juventude e seguir a justiça, a fé, o amor e a paz com os que invocam o Senhor de coração puro* (2Tm 2.22). Você está seguindo a pureza e cultivando um coração puro?

*A pureza vem da Palavra de Deus* — A aplicação diária da Palavra de Deus tem um efeito purificador no coração e na mente, *porque a palavra de Deus é viva e eficaz* [...] *e é capaz de perceber os pensamentos e intenções do coração* (Hb 4.12). Você está escondendo a Palavra de Deus no seu coração para que possa ser pura e não pecar contra ele (Sl 119.11)?

*A pureza vem da confissão* — Quando você confessa os seus pecados, está reconhecendo a sua desobediência e agradecendo a Deus porque o seu filho, Jesus, destruiu os seus pecados na cruz. Confessar é concordar com Deus sobre a sua falha em viver de acordo com os padrões dele de pureza: *Se confessarmos os nossos pecados, ele é fiel e justo para nos perdoar os pecados e nos purificar de toda injustiça* (1Jo 1.9).

## ◆ Refletindo o coração de Jesus

O objetivo de Deus para você é a pureza e a santidade. Portanto, o seu objetivo é a pureza e a santidade. Jesus é o seu modelo para mostrar o caminho para a pureza e a santidade. Ele é o único padrão pelo qual você deve medir a sua conduta. Ele também é o modelo perfeito a ser imitado. Como em todas as áreas da sua vida, Deus espera que você administre a sua pureza. Ele confiou a você essa que é uma das posses mais preciosas. Guarde-a bem!

- ◆ Guarde a sua pureza física. Isso guiará como você se comporta.
- ◆ Guarde a sua pureza mental. Isso ditará o que você pensa.
- ◆ Guarde a sua pureza espiritual. Isso determinará a profundidade da sua devoção e adoração.

## Uma oração

Senhor...

Eu entrego a ti todos os desejos do meu coração — que tu os alinhes com a tua perfeita vontade.

Eu entrego a ti minha mente — que ela seja cheia de pensamentos que possam ser trazidos à tua santa presença.

Eu entrego a ti minha boca — que eu possa falar somente aquilo que honra a ti, encoraja os outros e revela um coração puro.

Eu entrego a ti meu corpo — que eu conserve meu corpo puro, para que ele seja um vaso santo e digno de honra, apto para o teu uso.

Eu entrego a ti minhas amizades com rapazes — que eu possa firmar o meu coração na pureza. Que tu tenhas autoridade sobre todas as minhas paixões.

Eu me entrego novamente a ti. Toma a minha vida e faze que ela seja sempre, eternamente, pura para ti.[1]

---

[1] GEORGE, Elizabeth. *Uma jovem segundo o coração de Deus*. São Paulo: Editora Naós, 2006, p. 155.

dia 22

# Responsável

Como pais, Jim e eu empregamos milhares (que pareciam milhões!) de horas treinando, esperando e orando pelas nossas filhas, para que crescessem responsáveis. Fomos a aulas para pais, lemos livros e nos encontramos com outros pais, na tentativa de aprender como incutir esse traço tão importante nas nossas duas meninas. Até desenvolvemos um sistema para atribuir uma nova responsabilidade às nossas filhas, ensinando-lhes como cuidar dessa obrigação e, então, as recompensando por mostrar responsabilidade naquela área ou naquela tarefa. Chamávamos de "aprenda uma coisa, ganhe um dinheiro". Uma vez que aprendiam uma responsabilidade, elas ganhavam um privilégio ou recebiam uma recompensa preestabelecida.

Nunca me esquecerei do dia em que a nossa filha mais velha, Katherine, tirou a carteira de motorista. Ela nos implorou e suplicou por dias, talvez até semanas, para a deixarmos dirigir sozinha, com a irmã Courtney, até a escola. Não havia meio de ela querer que o Jim ou eu a levássemos e não havia meio de ela querer usá-lo num rodízio de caronas. Finalmente Jim cedeu, baixou a lei e deu instruções explícitas sobre dirigir de casa para a escola... e vice-versa. Uma razão pela qual hesitávamos em deixar Katherine usar o carro é que isso me deixaria presa em casa. Então, uma vez que ela concordou em fazer as minhas tarefas na volta da escola para casa, embarquei no plano.

O grande dia finalmente chegou. Orei pelas meninas, acenei em despedida, entrei de volta em casa, caí de joelhos e orei até a Katherine me ligar da escola. Ela conseguiu! Viva! Às 15 horas, fui ao chão novamente, pois ela estava para iniciar o seu trajeto até o mercado. Ela tinha a minha lista, dinheiro suficiente para a compra, e eu imaginava que ela e a Courtney chegariam em casa lá pelas 15h45. Para a minha surpresa, às 15h15 a porta de casa se abriu e elas entraram!

Fiz o que toda mãe tenta se lembrar de fazer: perguntei se estava tudo bem, se houve algum problema, se uma delas estava se sentindo mal etc. Finalmente eu disse: "Mas vocês não deveriam fazer as compras?" Bem, nem vou tentar descrever os meus pensamentos e sentimentos depois que Katherine disse: "Ah, mãe, a gente *tava* muito cansada para fazer as compras. A gente só queria chegar em casa".

Como você imagina, tivemos uma pequena discussão sobre responsabilidade e depois disparei: "Então seja bem--vinda ao clube! Toda mulher, esposa e mãe vai ao mercado, cansada!" Isso é verdade — mas já aprendemos a ser responsáveis nessa área. Outras pessoas dependem de nós, e somos fiéis em cumprir com as nossas obrigações e cuidar das nossas responsabilidades.

Agora sigamos até essa qualidade deslumbrante que tanto reflete Jesus. Ao seguir por este capítulo, tenha em mente que, por definição, uma mulher responsável é aquela que é capaz de ser fiel em fazer algo ou terminar algo. Ela é competente e confiável. Os outros podem depender dela para fazer o que ela diz que fará, e para fazê-lo quando ela diz que o fará. Se alguém lhe dá uma tarefa, não há preocupações sobre ela ou a tarefa. Ela a completará. Ela dará conta. Considere feito!

## ◆ Jesus nos mostra o caminho

Estamos prosseguindo pelos trinta dias para ter um vislumbre de Jesus e das trinta qualidades de caráter que ele exemplificou, entre muitas outras! Se você quer ser semelhante a Cristo, então precisará ser responsável. Jesus se encaixa perfeitamente nas definições mencionadas anteriormente... e muito mais! Ele era totalmente confiável, alguém de quem se poderia depender totalmente e em quem o Pai confiava completamente.

### Nenhum deles se perdeu

O que está por trás da responsabilidade? Uma característica que vem do coração: Uma pessoa responsável é preocupada com os outros. Jesus foi a pessoa mais responsável que já andou na face da terra. Somente Jesus, de todas as pessoas que já viveram, cumpriu de forma perfeita cada tarefa e cada responsabilidade que lhe foi passada. Seja cumprindo toda a justiça (Mt 3.15), seja fazendo os acertos para sustentar a sua mãe enquanto estava pendurado na cruz (Jo 19.26-27), seja completando a sua missão de morrer pelos pecadores e sendo capaz de dizer: *Está consumado!* (Jo 19.30), Jesus foi responsável.

Aqui está outra área de responsabilidade que Jesus também foi capaz de completar: ele manteve os seus discípulos a salvo. Ele reconheceu o seu cumprimento bem-sucedido desse encargo ao Pai, enquanto orava na noite antes do seu julgamento: *Enquanto eu estava com eles, eu os guardei e os preservei no teu nome que me deste. Nenhum deles se perdeu, senão o filho da perdição, para que se cumprisse a Escritura* (Jo 17.12).

Os discípulos foram mantidos sob a proteção de Jesus, e ele não perdeu nenhum. Você também pode confiar completamente nele e depender dele para a sua vida eterna. Ele afirmou isso em outra ocasião, dizendo: *Dou-lhes a vida eterna, e jamais perecerão; e ninguém as arrancará da minha mão* (Jo 10.28).

### ◆ Refletindo em seu coração

Jesus não pode mentir. Portanto, quando ele promete proteção, você pode confiar nele e crer no que diz. Quando estiver enfrentando as tentações, ou encarando a realidade de uma doença de vida ou morte, você pode ter certeza de que a promessa de vida eterna feita por Deus é segura — não porque é uma sensação agradável, mas por causa do poder de Cristo. Assim como um pastor protege as suas ovelhas, Jesus a protegerá da perdição eterna. Você pode confiar no bom pastor para guardá-la, sustentá-la e guiá-la ao lar no céu, onde há *plenitude de alegria* e *eterno prazer* (Sl 16.11).

### ELE DESIGNOU DOZE

Uma pessoa responsável também faz planos para o futuro. Jesus sempre soube que deixaria fisicamente a terra e retornaria ao céu. Ele tinha um plano para o futuro ao ver diminuir o seu tempo com os homens. Ele *chamou os que ele mesmo quis; e estes foram até ele. Então designou doze para que estivessem com ele, e os enviasse a pregar* (Mc 3.13,14). Uma pessoa responsável sabe que qualquer coisa que vale a pena ter, vale a pena ser poupada e passada adiante aos outros. O plano de Jesus era passar adiante a verdade da sua mensagem para um grupo seleto de homens. Então, quando ele partisse, eles, por sua vez, passariam adiante aos outros.

### ◆ Refletindo em seu coração

O que você tem que é digno de ser passado adiante aos outros?

- Como cristã, você é responsável por refletir Jesus ao mundo observador.
- Como mulher cristã, você é responsável por ensinar e treinar a próxima geração de mulheres piedosas (Tt 2.3-5).

## 202  UMA MULHER QUE REFLETE O CORAÇÃO DE JESUS

- Como mãe, você é responsável por ensinar e ser modelo de suas crenças e padrões cristãos para os seus filhos.
- Como uma esposa cristã, você é responsável por servir como auxiliadora do seu marido e amá-lo com o amor de Cristo.

### Ele vos dará outro consolador

Uma pessoa responsável deixa recursos para que os outros possam cumprir as suas tarefas. Como você já leu, Jesus sabia desde o início que um dia deixaria este mundo. Então ele escolheu os seus homens. Depois, começou a treiná-los para os meses restantes, antes da sua morte. Ainda assim, esse breve treinamento não seria suficiente. Eles também precisariam da sua força e sabedoria. Como líder responsável, Jesus conhecia o limite de tempo para o treinamento pessoal que ele poderia oferecer a esses futuros líderes. Então prometeu enviar alguém exatamente como ele para continuar o treinamento, para capacitá-los, para estar com eles e mais. Ao ler a promessa que Jesus fez aos discípulos, observe quanto tempo o "consolador" estaria com eles: *E eu rogarei ao Pai, e ele vos dará outro Consolador, para que fique para sempre convosco* (Jo 14.16).

O "consolador" de quem Jesus falava era o Espírito Santo, que aconselharia, exortaria, confortaria, fortaleceria, intercederia e encorajaria os discípulos, exatamente da mesma forma como Jesus havia feito até a sua partida de volta ao céu.

### ◆ Refletindo em seu coração

Você provavelmente conhece os seus limites físicos pessoais. Ainda assim, você tem um papel vital a desempenhar na vida da sua família, em sua igreja e em sua comunidade. E provavelmente há momentos em que você se acha sendo exigida demais pelas inúmeras responsabilidades. É fácil ficar sobrecarregada com tantas funções a ocupar. Lamentavelmente, você é limitada ao que uma pessoa pode fazer. Ainda assim, louvado seja Deus, você tem o Espírito Santo presente e disponível quando você *anda no Espírito* (Gl 5.16). Então, quando você tiver mais tarefas do que tempo e energia, olhe para cima. O Espírito Santo lhe dará *o fruto do Espírito* [...] *amor, alegria, paz, paciência, benignidade, bondade, fidelidade, amabilidade e domínio próprio* (v. 22,23). Essas atitudes semelhantes às de Cristo a ajudarão a fazer o seu trabalho à maneira de Deus, de um modo que o reflete e honra.

## DAI A CÉSAR O QUE É DE CÉSAR

Como já vimos muitas vezes durante a nossa jornada com Jesus, os líderes religiosos de seus dias estavam continuamente procurando razões e formas para desacreditar a vida e o ministério de Jesus. Olhemos para uma das ocasiões em que pediram que Jesus respondesse a uma pergunta impossível. Foi basicamente isto: O povo deveria pagar impostos a um governo odiado, opressivo, estrangeiro? Qual foi a resposta de Jesus? Mais uma vez, a sabedoria de Deus falou por meio da resposta de Jesus: *Dai a César o que é de César, e a Deus o que é de Deus* (Mc 12.17).

Jesus era um cidadão responsável. Ele nunca quebrou qualquer lei civil ou do Antigo Testamento. Ele nunca ensinou os discípulos a fazer de outra forma. Nessa cena, Jesus estava ensinando responsabilidade com o governo. O apóstolo Pedro reiterou o ensinamento de Jesus, quando falou aos crentes: *Sujeitai-vos a toda autoridade humana por causa do Senhor, seja ao rei, como soberano, seja aos governadores, como por ele enviados para punir os praticantes do mal e honrar os que fazem o bem* (1Pe 2.13,14). O contexto do ensino de Pedro era como viver num mundo de forma que traga glória para Deus, de forma que o reflita e represente de forma positiva.

## ◆ Refletindo em seu coração

Nenhum governo humano é perfeito. Algumas pessoas (até mesmo cristãos!) se recusam a obedecer certas leis no seu país, porque algumas legislações específicas parecem ser injustas ou mostrar favoritismo. Contudo, como cidadã tanto do reino de Deus quanto da sua nação, você tem responsabilidades tanto com Deus quanto com o governo do seu país. A sua recompensa é de fato doce quando você suporta bem essa responsabilidade, pois a sua vida de bondade, cheia de boas obras, trará honra para Deus.

## ◆ Diretrizes para a responsabilidade

A vontade de Deus não é um segredo. Ela não está escondida ou camuflada de forma inteligente no texto da Bíblia. Ela fica bem à vista, e a mulher cristã responsável se esforçará para buscar a vontade de Deus para a sua vida, a todo custo. Siga estas diretrizes para a responsabilidade a fim de descobrir e fazer a vontade de Deus:

*Um cristão responsável é informado.* A ignorância não é amiga da responsabilidade cristã. Na verdade, ela é a pedra de tropeço para ser confiável. Responsabilidade significa fazer a coisa certa, na hora certa, do jeito certo. Como você pode conhecer e seguir a vontade de Deus se não conhece a Palavra dele? Estude a Palavra de Deus para descobrir as suas responsabilidades. *Procura apresentar-te aprovado diante de Deus, como obreiro que não tem de que se envergonhar, que maneja bem a palavra da verdade* (2Tm 2.15).

*Um cristão responsável é obediente.* A falta de conhecimento ou de entendimento não é desculpa para a desobediência. Deus já lhe deu tudo pertinente à vida e à piedade (2Pe 1.3,4). Como você pode viver em piedade e obedecer à vontade de Deus se não conhecer ou não se incomodar em compreender a Palavra dele? Deus está lhe oferecendo uma vida abundante e vitoriosa, mas você deve procurar a sabedoria de Deus como *a prata e a procurares como quem procura tesouros escondidos* (Pv 2.4). Assim, você entenderá a vontade do Senhor.

*Um cristão responsável cresce na fé.* Goste você ou não, Deus nos ordena a crescer no conhecimento de Jesus (2Pe 3.18). O Novo Testamento está repleto de ordens, exortações, admoestações e encorajamento ao crescimento para a maturidade espiritual. O apóstolo Paulo chamou isso de crescimento na *plenitude de Cristo* (Ef 4.13). Essa maturidade lhe dará um fundamento forte e estabilidade doutrinária. Então você conhecerá a vontade de Deus e formas para que não sejamos *levados ao redor por todo vento de doutrina* que aparece (v.14). Como em todas as coisas, a estrada para a maturidade espiritual passa pela Bíblia.

*Um cristão responsável usa os seus dons espirituais.* O Espírito de Jesus lhe dá a capacitação espiritual como crente, para o bem dos outros membros do corpo de Cristo. *Mas a manifestação do Espírito é dada a cada um para benefício comum* (1Co 12.7). Você é dotada e, portanto, responsável por ministrar os seus dons para que as outras pessoas na igreja sejam abençoadas. O seu dom é necessário e beneficia os outros. Por favor, seja responsável! Descubra os seus dons. Desenvolva os seus dons. Ministre os seus dons *para o benefício comum.*

## ◆ Refletindo o coração de Jesus

Mais uma vez, recorra a Jesus. Ele cumpriu todas as suas responsabilidades até o fim, até a última responsabilidade — indo à cruz para pagar a pena pelo pecado. Esse era de fato o ato extremo de responsabilidades de todos os tempos. Jesus se sacrificou como resgate pelos seus pecados. O cumprimento das responsabilidades dele com o Pai o levou à cruz. Aonde o cumprimento de suas responsabilidades está levando você? Deus não está lhe pedindo para morrer por ele. Ele está lhe pedindo para viver por ele, para ser um *sacrifício vivo* (Rm 12.1). Jesus possuía um coração obediente que o tornou responsável. Se você deseja realmente refletir o coração de Jesus, tenha como prioridade nutrir um coração que é responsável em obedecer a Deus e seguir o exemplo do seu filho, o Senhor Jesus.

## Uma oração

*Querido Senhor Jesus, o desejo do meu coração é me tornar mais parecida contigo. Quero que as minhas atitudes e ações demonstrem que eu sou um sacrifício vivo, totalmente aceitável a ti, conforme aprendo sobre a responsabilidade. Obrigada pelo dom do teu Espírito Santo, que me ajudará a ser responsável como filha do rei e coerdeira contigo. Amém.*

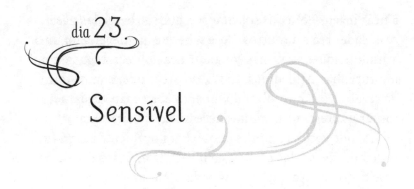

# dia 23
# Sensível

Enquanto estou sentada aqui escrevendo, Jim acabou de voltar de pegar nossas correspondências na nossa caixa postal. Se seguirmos a nossa rotina habitual, darei uma pausa nos meus escritos e nos sentaremos com uma xícara de café para começar a separar a pilha de papéis, procurando pelas contas e as cartas realmente importantes. Não sei se é porque acabei de começar a escrever este capítulo sobre a sensibilidade ou se essa é a norma, mas sempre fico impressionada com o número de apelos na nossa correspondência, todos os dias, de grupos de apoio, sociedades, missões e pessoas pedindo dinheiro.

Não me entenda mal, Jim e eu temos como objetivo estar sintonizados com as necessidades ao redor do mundo e ser generosos e liberais. Generosidade é uma das qualidades de caráter que Jesus possuía e na qual sabemos que ele quer que trabalhemos o tempo todo. Na verdade, uma razão pela qual recebemos tantas cartas é porque fazemos doações para muitas causas dignas.

Mas imagino: Jim e eu é que somos diferentes de alguma forma, ou você também recebe essa mesma avalanche de apelos pelo seu dinheiro, o seu tempo e as suas orações? Se você recebe, então é provável que possa se identificar com o que estou prestes a dizer: Se não tomar cuidado, você pode começar a ficar insensível a tais solicitações, que são baseadas nas necessidades reais de outros. Você sabe que não deveria ter uma atitude endurecida, mas, quando fica sobrecarregada com um turbilhão de pedidos, às vezes parece que a única forma de resolver é não resolvendo! Apenas abrir mão, desistir e se tornar indiferente às muitas necessidades à sua volta.

É aí que você e eu precisamos olhar novamente para a forma como Jesus lidava com uma investida muito maior de necessidades, com a qual jamais poderemos nos deparar.

### ◆ Jesus nos mostra o caminho

Ao iniciar um novo dia observando essa próxima qualidade maravilhosa na vida de Jesus, vamos definir sobre o que estamos falando quando tratamos da sensibilidade. Sensibilidade é estar ciente do seu ambiente. É meio como ter um "sexto sentido" ou um "radar de pessoas feridas". Não estou falando de ter as emoções à flor da pele ou de romper em lágrimas toda vez que alguém olha para você do jeito errado. Não, eu estou falando de perceber e captar o sofrimento ou a ansiedade nos outros. É observar que alguma coisa está faltando ou não está bem e compreender o que precisa ser feito e agir para dar a ajuda necessária. Jesus certamente nos mostrou o que significa detectar uma necessidade e fazer o que for necessário para remediar essa necessidade. Vamos aprender com o mestre enquanto ele andava entre as pessoas do seu tempo. Alguns deles você reconhecerá, e todos foram beneficiados com o "sexto sentido" do salvador.

## ELE CURAVA OS DOENTES

Jesus era supersensível àqueles que estavam doentes. Numa ocasião, ele passou na casa do seu discípulo Pedro. Uma vez lá, Jesus foi avisado de que a sogra de Pedro estava doente. *Então, Jesus aproximou-se, tomou-a pela mão e a levantou. A febre a deixou, e ela começou a servi-los* (Mc 1.31). Numa reação compassiva, Jesus, sem falar nada, simplesmente tomou a mão dela e a levantou. A febre a deixou completamente e, sem qualquer fraqueza, a sogra de Pedro começou a servir a seus convidados.

Uma necessidade física costuma ser fácil de detectar. Por exemplo, você tem uma amiga ou um familiar que está no hospital. Ou você ouve de alguém na sua igreja que tem câncer. Você não precisa ser um gigante espiritual para determinar que essas situações sejam oportunidades para mostrar amor e dar consolo. Mas e a pessoa que tem uma doença que não é facilmente notada ou detectada? É aí que a sensibilidade é mais necessária.

## ◆ Refletindo em seu coração

Como você pode discernir melhor a necessidade daqueles que sofrem em silêncio e que passam despercebidos? Primeiro, ore. Peça que Deus abra os seus olhos para aqueles que estão doentes ou infelizes, afligidos no corpo ou na alma. Ore a Deus para aumentar o raio do seu radar e o nível da sua compaixão pelos outros. Tenha como alvo andar pelo Espírito para poder reagir e agir com amor, benignidade e bondade (Gl 5.22,23).

### ELE TINHA COMPAIXÃO DOS QUE SOFRIAM

Nosso Senhor também notava e atendia os enlutados. Vemos isso ocorrer um dia na cidade de Naim. Lá, Jesus encontrou uma procissão funerária acompanhando o caixão de um rapaz morto, filho único da sua mãe. A mulher agora estava completamente sozinha, aparentemente desprotegida e sem nenhum parente próximo do sexo masculino.

Não há indicação de que Jesus conhecia a mãe ou o filho. Ainda assim, ele parou. E parou a procissão. Por quê? Porque o seu radar captou a agonia e a aflição da mulher... e ele agiu.

*O Senhor se encheu de compaixão por ela e disse-lhe: Não chores. Aproximando-se, Jesus tocou no caixão e, ao pararem os que o levavam, ele disse: Moço, eu te digo: Levanta-te* (Lc 7.13,14). O jovem se levantou e foi restituído à sua mãe!

Jesus soube do sofrimento e da perda da viúva por causa da sua sensibilidade, e o seu coração a mirou em sua hora da aflição. Quando é confrontada com o sofrimento dos outros, como você reage? Você pode se retirar com indiferença. Ou pode racionalizar: "Isso não é problema meu. Com certeza alguém que tem a obrigação de dar assistência deve ajudar essa pessoa". Ou você pode imitar Jesus e estender a mão, fazendo algo você mesma a respeito da aflição, do sofrimento e da perda dessa pessoa.

Costumo falar para mulheres sobre "aprendendo a ter cuidado", como um pastor tem cuidado pelas suas ovelhas. Compartilho alguns dos princípios que aprendi a aplicar para ministrar aos outros. A Bíblia diz que os olhos do Senhor *passam por toda a terra* (2Cr 16.9). Então, quando saio em público, procuro de forma intencional pelas ovelhas feridas. E quando encontro uma — e elas estão em toda parte! —, me forço a ser direta. Faço uma oração a Deus e vou na direção da mulher ferida para ver o que ela precisa e o que posso fazer para ajudar.

Felizmente, já ultrapassei a timidez e a hesitação nessa área do ministério. E superei a minha tendência natural de esperar que outra pessoa compareça, ou de correr e encontrar um pastor ou qualquer pessoa mais qualificada que eu para ajudar com o problema da pessoa. Creio que Deus permitiu que *eu* encontrasse essa pessoa específica em necessidade. O que ele pede de *mim* é que eu seja sensível e consciente e permita que o meu coração transborde com o seu terno cuidado. Pode ser que eu precise envolver outros, mas Deus permite que eu seja o ponto de primeiro contato — o ponto do primeiro amor.

## ◆ Refletindo em seu coração

Jesus a chama para levantar centenas de pessoas, para cultivar a sensibilidade dele às necessidades dos outros, para perguntar: "Como posso ajudar?" e então dar um "copo de água" (Mt 10.42) ou o que for necessário.

ELE NÃO REJEITARÁ TODO AQUELE QUE VEM A ELE

Com Jesus, não há preconceito. Ele falou ao povo: *Todo aquele que o Pai me dá virá a mim; e de modo algum rejeitarei* (Jo 6.37). E, como Jesus, devemos reagir sem preconceito. No início do seu ministério, Jesus decidiu voltar para Nazaré, a região próxima ao mar da Galileia onde ele cresceu. Enquanto estava a caminho, Jesus e os discípulos pararam em Samaria num poço conhecido para descansar, pegar água e comer.

Enquanto os discípulos estavam na cidade buscando comida, uma mulher samaritana chegou ao poço para retirar água. De acordo com as tradições culturais daquele tempo, nenhum judeu respeitável jamais seria visto conversando com um detestável samaritano, e certamente não com uma mulher. E nunca com uma mulher de má reputação como essa mulher no poço! Mas Jesus conversou. Ele não mostrou preconceito com relação à samaritana de péssima fama. Em vez disso, ele lhe pediu algo para beber. Buscando uma conversa, Jesus fez que um interesse espiritual crescesse no coração da mulher. Em resposta às suas perguntas, ele disse: *Mas a hora vem, e agora é, em que os verdadeiros adoradores adorarão o Pai em espírito e em verdade* (Jo 4.23, ARC).

Você está vigilante às oportunidades de compartilhar a verdade salvadora do evangelho de Jesus Cristo? Para falar de forma que essa pessoa possa ter a sua vida espiritual despertada? Para dar aos outros uma chance de reagir espiritualmente à mensagem da salvação por meio de Cristo? A mensagem do evangelho é para todos, não importa a sua raça, posição social ou contexto religioso. Você e eu devemos estar sensíveis à procura das situações que nos permitam uma chance de compartilhar com os outros nossa fé em Cristo. Jesus ultrapassou todas as barreiras para compartilhar o evangelho, e temos o privilégio de seguir o seu exemplo.

## ELE SE IMPORTAVA COM OS DEFICIENTES

O salvador também era sensível aos deficientes. Na verdade, num sábado ele se levantou e leu a profecia de Isaías anunciando que ele pregaria aos pobres, curaria os feridos, recuperaria a vista aos cegos e libertaria os oprimidos (Lc 4.16-21).

Numa ocasião, Jesus decidiu entrar em Jerusalém pela porta das ovelhas, com a sua missão em mente de forma clara. Jesus tinha muitas opções sobre qual portão usar para entrar em Jerusalém. Mas, por causa da sua sensibilidade aos deficientes, ele tomou essa entrada, que o fazia passar por um lugar onde *ficava deitada uma grande multidão de doentes: cegos, mancos e paralíticos esperando o movimento da água* (Jo 5.3).

Ali, Jesus falou com um homem que era deficiente havia 38 anos. Ele ofereceu uma ajuda específica para esse pobre homem, fazendo uma pergunta que parecia ser muito estranha: *Queres ser curado?* (v. 6). O desejo de Jesus era fazer o homem focar a sua atenção e confiança em Jesus — não na água do poço ali perto, não nos outros que poderiam ajudá-lo a entrar na água, não num milagre de cura que muitos criam que ocorreria para a pessoa que entrasse primeiro no tanque, depois que a água fosse movida. Jesus era o único que poderia ajudar e curar esse aleijado necessitado. E ele precisava olhar apenas para Jesus.

Muitos cristãos escolhem evitar ver as pessoas que têm deficiências ou falar com elas. É mais fácil dar a volta e pegar outro caminho quando alguém vem na sua direção numa cadeira de rodas. É mais fácil não olhar uma criança de muletas, que está lutando para andar, ou falar com ela. Mas, como Jesus, você e eu podemos ser sensíveis e mostrar compaixão àqueles com deficiências. Ao contrário de Jesus, obviamente não podemos ajudar tanto com as suas enfermidades. Mas, como Jesus, podemos buscar essas pessoas queridas, iniciar uma conversa e dar uma ajuda específica, ao conhecê-las melhor e saber mais sobre os seus problemas.

E, mais importante, podemos fazê-las se voltarem para Cristo. Era isso o que Jesus fazia. Ele decidia procurar aqueles em necessidade, se aproximar deles. Ele escolhia falar com eles. Ele escolhia tirar a sua atenção de seus problemas físicos e colocá-la nos seus problemas espirituais. Tudo isso ocorria porque ele era sensível àqueles que eram deficientes.

### Ele amava os detestáveis

Mas e os detestados... e os detestáveis? Como em todas as situações, Jesus nos mostra o caminho. Considere, por exemplo, o encontro de Jesus com Zaqueu em Lucas 19.1-10. Para os judeus dos dias de Jesus, a pessoa mais desprezada na sociedade era o cobrador de impostos local. Já deparamos com ele antes e novamente o encontramos:

> Zaqueu, que era rico e chefe de publicanos. Ele tentava ver quem era Jesus e não conseguia, por causa da multidão e porque era de pequena estatura. Correndo na frente, subiu num sicômoro a fim de vê-lo, pois Jesus tinha de passar por ali. Quando chegou àquele lugar, Jesus olhou para cima e disse-lhe: Zaqueu, desce depressa, porque hoje tenho de ficar em tua casa (v. 2-5).

Aqui testemunhamos Jesus novamente tomando a iniciativa e estendendo a mão para Zaqueu. Ele o percebeu e olhou

UMA MULHER QUE REFLETE O CORAÇÃO DE JESUS

para ele, chamou-o pelo nome e se convidou para a casa de Zaqueu. Mais tarde, como de costume, as pessoas reclamaram, dizendo: *Ele foi ser hóspede de um homem pecador* (v. 7). A sensibilidade de Jesus à fome espiritual de Zaqueu foi recompensada pela resposta de fé de Zaqueu: *Vê, Senhor, darei aos pobres metade dos meus bens* (v. 8).

Em toda sociedade, certas pessoas são vistas como excluídas. Elas são detestáveis por causa da sua ocupação, sua visão política, seu comportamento imoral ou seu estilo de vida. Não ceda à pressão da sociedade, ou até às pressões de certas comunidades "religiosas". Jesus não amava o pecado, mas, sem dúvida, amava o pecador. A sua missão era *buscar e salvar o que se havia perdido* (v. 10). Louvado seja Deus, porque Zaqueu reagiu com fé ao amor de Cristo.

### Ele era sensível espiritualmente

Ore por sensibilidade espiritual para ser como Jesus e refletir a sua sensibilidade para qualquer um e para todos. Procure aqueles que estão curiosos ou buscando. Então tome a iniciativa e estenda o amor de Cristo aos detestados e aos perdidos. Construa uma ponte de amor do seu coração até o deles e ajude a pavimentar o caminho para Jesus passar por essa ponte e entrar no coração dessas pessoas.

O salvador também era sensível àqueles *que desejavam crescer.* Não que toda a busca de Jesus fosse dirigida a procurar e ajudar os doentes, deficientes, abatidos e desprezados. Desde o início do seu ministério, ele buscou e selecionou uns poucos homens, que levariam o seu trabalho adiante quando ele retornasse ao céu. Para fazê-lo, eles teriam que ser como Jesus e ser sensíveis o suficiente para reconhecer aqueles que queriam sinceramente crescer espiritualmente. O seu processo de seleção culminou depois de orar a noite inteira (Lc 6.12). Mais tarde, ele escolheu doze homens *para que estivessem com ele, e os enviasse a pregar, e para que tivessem autoridade para expulsar demônios* (Mc 3.14,15).

A sensibilidade com relação às necessidades físicas não requer muito — exceto um coração que deseja ajudar as pessoas e disposição para estender a mão em ajuda. Nós também devemos ser sensíveis às necessidades espirituais dos outros, comprometidas em ajudá-los a crescer e levar adiante, com fidelidade, o ministério de Jesus.

Se Jesus orava, nós devemos orar ainda mais — por sensibilidade espiritual e discernimento sobre aqueles que desejam verdadeiramente crescer em Cristo. A nova geração de mulheres precisa de treinamento e crescimento espirituais para que possam, por sua vez, se tornar mulheres piedosas que treinam e instruem a próxima geração (consulte Tito 2.3-5). A quem você pode ensinar? Siga o exemplo de Jesus. Ore por sensibilidade espiritual ao procurar e escolher aquelas a quem você pode discipular como próxima geração de mulheres piedosas. Tome o primeiro passo: ore. Então comece a compartilhar o que sabe com as suas próprias filhas, sobrinhas e netas.

## ◆ Refletindo o coração de Jesus

Vez após vez, Jesus tomava a iniciativa ao sentir as necessidades dos outros. Muitas pessoas vinham a ele para obter auxílio, e ele lhes era disponível e útil. Da mesma forma frequente, ele demonstrava grande sensibilidade ao sair procurando por aqueles que precisavam do seu toque de cura, de suas palavras de encorajamento e instrução, ou da segurança da sua presença na vida deles para enfrentar o futuro. Por favor, não hesite em ajudar os outros. E, por favor, não espere nos bastidores quando tantas pessoas precisam do seu ministério. Faça o que Jesus fazia. Abra os seus olhos — e o seu coração — e estenda a mão!

## Uma oração

Jesus, eu sei que amar, servir e ajudar os outros se trata do meu coração. Ajuda-me hoje a ser mais sensível àqueles em necessidade, a me importar de verdade com eles e agir para melhorar a vida deles. Que o meu amor brilhe forte para que os outros te vejam nos meus atos de bondade e te glorifiquem. Amém.

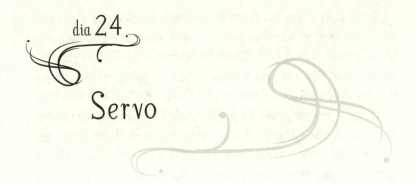

# dia 24
# Servo

Quando você pensa nos "superservos" da sua igreja, estou certa de que pelo menos uma ou duas pessoas saltam à sua mente. Para mim, essa serva especial é a Linda. Desde o momento em que Jim e eu assistimos ao primeiro culto na nossa igreja, temos observado Linda estendendo a mão aos membros da igreja — inclusive a nós — de várias formas. Qualquer coisa que alguém precisa, Linda é como um anjo que parece revoar exatamente na hora certa, com precisamente o que for necessário. Num mundo egoísta, que serve a si mesmo, ela reflete Jesus de forma verdadeira ao servir de forma deliberada e alegre ao Senhor a seu povo.

Serviço é a única qualidade que é um dom espiritual concedido a alguns membros do corpo de Cristo (Rm 12.7). Para essas pessoas queridas, servir é como se fosse a sua segunda natureza. Elas amam servir e, de alguma forma, parecem saber exatamente o que fazer para ajudar os outros. Mas, ainda que ajudar pareça vir de forma natural para elas, é na verdade sobrenatural. É Deus capacitando-as por meio do Espírito Santo a atender às necessidades dos outros. É um dom, um dom espiritual. Mas, a despeito de ser ou não um dom espiritual, você tem o dom de servir, você tem a ordem de Deus para *servir uns aos outros* (Gl 5.13).

UMA MULHER QUE REFLETE O CORAÇÃO DE JESUS

Bem, hoje é um dia festivo para nós por sermos abençoadas, novamente, ao olhar para o nosso querido e maravilhoso Jesus, o servo máximo. Talvez o meu versículo favorito sobre o nosso Senhor seja Mateus 20.28. É provável que eu me lembre dele todos os dias: *O filho do homem, que não veio para ser servido, mas para servir e para dar a vida em resgate de muitos.* Uma coisa que toca o meu coração nessa verdade é que ela está no livro de Mateus, o evangelho que nos mostra Jesus como o Cristo, o Messias, o Rei! Ainda assim lemos que servir era uma forte qualidade na vida do Rei Jesus — uma prioridade e uma forma de vida para ele.

## ◆ Jesus nos mostra o caminho

Isaías é considerado um dos maiores profetas do Antigo Testamento por causa de suas muitas profecias sobre o Messias. Por exemplo, é provável que você já tenha ouvido esta na época do Natal. É Isaías 9.6, que até foi colocada numa música do *Messias* de Georg Friedrich Händel:

> Porque um menino nos nasceu, um filho nos foi concedido. O governo está sobre os seus ombros, e o seu nome será: Maravilhoso Conselheiro, Deus Forte, Pai Eterno, Príncipe da Paz.

O que a maioria das pessoas não percebe é que Isaías também usou a palavra "servo" várias vezes para descrever a natureza do ministério terreno de Jesus. Por exemplo, ele escreveu: *Aqui está o meu servo, a quem sustento; o meu escolhido, em quem me alegro* e *O meu servo procederá com prudência; será exaltado, elevado e muito sublime* (42.1; 52.13).

Ao considerar a qualidade de caráter de hoje, serviço, louve a Deus porque Jesus, o Messias, o salvador do mundo, veio primeiramente como servo humilde. Então abra o seu coração e os seus olhos e contemple como o maior homem — e servo — que já viveu exemplificou o que significa servir.

## Buscai primeiro o reino de Deus

A Bíblia nos fala que Jesus, bem no início do seu ministério, foi *tentado pelo diabo* (Mt 4.1). Jesus não evitou esse confronto de forma alguma. Na verdade, ele foi levado pelo Espírito Santo para o deserto para uma confrontação cara a cara com Satanás (consulte Lucas 4.1-13). Em cada tentação, Jesus resistiu a Satanás citando as Escrituras. Uma das seduções de Satanás era uma troca de poder e glória, se Jesus se prostrasse ante Satanás e o adorasse. Jesus replicou ao diabo: *Ao Senhor teu Deus adorarás, e só a ele cultuarás* (v. 8).

Para a maior parte das mulheres, o papel de servir aos outros é algo presumido. Se você é casada, tem um marido para servir e cuidar. Se você tem filhos, bem, acrescente-os à sua lista de "pessoas que eu preciso servir". E não se esqueça de seus pais e parentes... e assim a lista vai longe!

Então qual o maior problema em servir? É a prioridade. É fácil se distrair no percurso de ajudar os outros. Se você não tiver cuidado, o seu serviço pode se tornar focado nas pessoas. Então um dia você se dá conta de que se esqueceu do seu chamado para servir a Deus. Jesus falava dessa prioridade quando disse: *Amarás o Senhor teu Deus de todo o coração, de toda a alma e de todo o entendimento. Este é o maior e o primeiro mandamento* (Mt 22.37,38). Amar e servir a Deus são a coisa mais importante que um cristão pode fazer. Deve ser a sua primeira prioridade. Então *buscai primeiro o seu reino e a sua justiça* (6.33).

Sei que os seus dias já estão repletos de pessoas e responsabilidades, começando cedo com o toque do seu despertador. Você deve estar imaginando: "Sim, mas como?" O segredo é

UMA MULHER QUE REFLETE O CORAÇÃO DE JESUS

estabelecer prioridades — as prioridades de Deus. Ele quer — e merece — o primeiro horário.

### Não podeis servir a Deus e às riquezas

Servir à família é uma coisa boa. Mas Jesus falou de uma área na qual não devemos focar o nosso serviço — na das riquezas e posses. Nos dias de Jesus, os líderes religiosos amavam o dinheiro e o que ele poderia comprar. Um dia, ao ouvirem Jesus contar uma parábola sobre ser bons mordomos (Lc 16.1-12), Jesus terminou de forma direta com esta verdade: *Nenhum servo pode servir a dois senhores, pois odiará a um e amará o outro, ou se dedicará a um e desprezará o outro. Não podeis servir a Deus e às riquezas* (v. 13).

A obsessão por dinheiro e posses pode tirar o lugar de direito de Deus na sua vida e desviar os seus olhos de Jesus. A riqueza e os bens podem facilmente se tornar o seu senhor. Como você pode distinguir se está começando a perder o seu foco em Jesus ou começando a servir a coisas materiais, em vez de servir a Jesus e a seu povo?

Umas poucas respostas honestas para algumas perguntas apontarão o óbvio.

- Você costuma se preocupar com o seu dinheiro ou as suas posses?
- As suas finanças ou posses costumam atrapalhar o seu serviço para Deus?
- Você gasta grande parte do seu tempo cuidando da sua conta bancária, das contas do cartão de crédito, dos investimentos ou de suas posses?
- Você tem dificuldade de dar o seu dinheiro para expandir o reino de Deus, sustentar missionários ou ir ao encontro de alguma necessidade no meio do povo de Deus?

## ◆ Refletindo em seu coração

Essas perguntas são duras, não é mesmo? Somos um povo abençoado. Mas essa bênção pode se tornar em maldição se o dinheiro, as posses, casa, móveis, carros etc. atrapalharem o serviço para Deus e o seu povo. Examine o seu coração. Se houver algum problema com as riquezas, gaste um tempo com Jesus e veja como você pode mudar as suas prioridades. Lembre-se, se você não pode abrir mão de suas posses, então não as possui; elas possuem você!

### O FILHO DO HOMEM VEIO PARA SERVIR

Ninguém no mundo, passado ou presente, jamais sugeriria que Jesus não foi um grande líder. O que ele realizou que faz que as pessoas reconheçam que "ele foi o maior líder de todos os tempos"? Jesus nunca escreveu um livro. Ele nunca comandou um exército de soldados. Ele nunca incitou uma revolução política. Na verdade, ele nunca se aventurou numa jornada com mais que alguns dias a pé da sua terra natal. Então qual era a marca que definia a sua liderança?

Da forma como os discípulos de Jesus observavam os líderes à sua volta, parece que eles concluíram que a grandeza vinha de ser "senhor" sobre os outros. Então agora havia uma nova lição que Jesus precisava ensinar aos doze, conforme o seu ministério na terra se aproximava do fim. Eles precisavam entender a "grandeza" em perspectiva:

> Então Jesus chamou-os para junto de si e lhes disse: Sabeis que os governantes dos gentios os dominam, e os seus poderosos exercem autoridade sobre eles. Não será assim entre vós; pelo contrário, quem quiser tornar-se poderoso entre vós, seja esse o que vos sirva; e quem entre vós quiser ser o primeiro, será vosso servo, a exemplo do filho do homem, que não veio para ser servido, mas para servir e para dar a vida em resgate de muitos (Mt 20.25-28).

Pode haver um intervalo de dois mil anos entre nós e os discípulos de Jesus, mas eles também eram afetados pela cultura deles. O mundo deles estava cheio de força abusiva e ditatorial, de governantes autoritários. Ninguém queria servir, de modo que eles encontravam alguém para fazer o serviço. Para os discípulos, servir e ajudar os outros eram as coisas mais distantes de sua mente. Eles queriam ser grandes! Para eles, a grandeza era definida como senhorio, e não pelo serviço.

Assim como os discípulos, você e eu somos produtos da nossa cultura. Ao olharmos à nossa volta, vemos que a maioria das pessoas só pensa em si, é egoísta e está ocupada pensando em formas de ser servida, em lugar de servir. Também como os discípulos, podemos ter dificuldade de lidar com o conceito de servir. Mas o nosso Senhor Jesus veio com um estilo de vida diferente e uma mensagem radical de vida. Ele definia a verdadeira grandeza de uma nova perspectiva. Em vez de usar as pessoas, devemos servir a elas. A missão de Jesus era servir aos outros e dar a sua própria vida. Você e eu devemos seguir o exemplo dele. Devemos desenvolver um coração de servo.

## ◆ Refletindo em seu coração

A melhor forma de crescer nessa qualidade de Jesus é fazer o propósito de, sempre que você vir uma necessidade, não esperar até que peçam a sua ajuda ou que alguém o faça. Abra os seus olhos e os seus ouvidos. Quem precisa de ajuda? Quem está ao seu alcance? Então abra o seu coração e as suas mãos. Tome a iniciativa e faça o que precisa ser feito. Seja semelhante a Cristo — seja uma serva amorosa. É isso o que a mulher ideal de Provérbios 31 fazia: *Abre a mão ao aflito; e ao necessitado estende as mãos* (v. 20, ARC). E isto é o que as viúvas estavam encarregadas de fazer em 1Timóteo 5: elas deveriam cuidar dos outros, hospedar estranhos, lavar os pés dos irmãos, aliviar os aflitos e muito mais. Elas deveriam ser alguém *cujas boas obras possam lhe servir de bom testemunho [...] se praticou todo tipo de boa obra* (v. 10).

## ESTÁS ANSIOSA E PREOCUPADA COM MUITAS COISAS

Já perdi a conta de quantas vezes dei aulas e escrevi sobre essas duas irmãs queridas, Maria e Marta. Na verdade, já as incluí várias vezes neste livro. Pobre Marta, sempre aparece como a irmã menos espiritual. Você conhece a história delas:

> *Prosseguindo viagem, Jesus entrou num povoado; e uma mulher chamada Marta recebeu-o em casa. Sua irmã, chamada Maria, sentando-se aos pés do Senhor, ouvia a sua palavra. Marta, porém, estava atarefada com muito serviço; e, aproximando-se, disse: Senhor, não te importas que minha irmã me tenha deixado sozinha com o serviço? Dize-lhe que me ajude. E o Senhor lhe respondeu: Marta, Marta, estás ansiosa e preocupada com muitas coisas; mas uma só é necessária; e Maria escolheu a boa parte, e esta não lhe será tirada* (Lc 10.38-42).

A mensagem de Jesus para Marta era em vários níveis. Mas, por favor, não deixe passar que o foco dele era no serviço. Assim como já fomos ensinadas, servir aos outros é uma boa coisa. E Marta era uma verdadeira serva. Ela amava a Jesus e abriu a sua casa para ele. Ela se deliciava em cozinhar para ele e servir tanto a ele como aos discípulos.

Mas, pobre Marta, também nos mostrou que podemos fazer o nosso serviço com a atitude errada. Você consegue perceber a atitude dela? Ela estava correndo (literalmente, para cima e para baixo) servindo. Em adição a isso, estava irritada porque Maria tinha parado de ajudá-la e estava sentada

— sim, sentada aos pés de Jesus para ouvir os seus ensinos. Bem, Marta finalmente explodiu... e explodiu na mesma hora com Jesus, com acusações tanto contra o Senhor quanto contra Maria. Veja, Marta estava ressentida com a sua irmã. Ela se segurou quanto pôde e, então, saiu intempestivamente da cozinha atacando Jesus, acusando-o de não se importar, e à sua irmã, de fugir das obrigações dela. Marta teria se saído melhor não servindo do que servindo com uma atitude negativa.

## ◆ Refletindo em seu coração

Você já se surpreendeu com a "atitude de Marta"? Você está servindo, mas se ressente a cada minuto! Você concordou em servir, mas o seu coração simplesmente não está nisso. Você preferiria ter sido a pessoa servida! (Quem não preferiria?) Quando isso acontecer, lembre-se de Marta. Entenda o seu problema e se recuse a descontar as suas frustrações nos outros. Em vez disso, dê um tempo. Volte atrás. Vá para outro lugar e admita a sua atitude negativa. Peça que Jesus lhe dê o coração de servo que ele tem para o trabalho à sua frente. Então, no futuro, avalie as oportunidades de serviço antes de dizer sim. Não concorde em servir se você o faz pelas razões erradas — razões como pressão do grupo, expectativas, orgulho, culpa ou um senso de dever. A sua razão primária para servir é Jesus. Ele a serviu da melhor forma possível quando deu a sua vida por você. Ele quer que você siga o exemplo dele, que seja como ele. É como ele falou aos discípulos: *Pois eu vos dei exemplo, para que façais também o mesmo* (Jo 15.13). Se Jesus, o Deus encarnado, o Rei dos reis e Senhor dos senhores, o Messias, o Cristo, estava disposto a servir, você não deveria estar disposta a servir?

## ◆ Refletindo o coração de Jesus

Uma mulher que deseja um caráter mais semelhante ao de Cristo entende que é essencial cultivar um espírito de servo. Seguir nos passos de Jesus envolve a atenção voltada ao desenvolvimento da atitude de coração do serviço. Essa nobre qualidade se inicia em casa com a sua família, debaixo do mesmo teto que você. Se você é casada, Deus lhe deu a atribuição de ser "auxiliadora" do seu marido (Gn 2.18). Isso significa que o seu marido se torna a pessoa principal de Deus para receber o seu ministério de serviço. E, se você tem filhos, eles são o número dois na sua lista de pessoas a quem servir. Além desse chamado, você deve servir a todos, *servir uns aos outros* (Gl 5.13).

Servir. É uma atribuição simples e nobre. E talvez o sinal mais óbvio da maturidade cristã. Quando você está servindo aos outros, o seu serviço sincero, cheio do Espírito, é um reflexo cintilante do coração do seu salvador, o maior servo que já viveu, aquele que estabeleceu o padrão quando ele

- serviu aos outros, fosse isso conveniente ou não;
- serviu aos outros, fossem eles merecedores ou não;
- serviu aos outros, fossem eles gratos ou não;
- serviu aos outros com amor sacrificial e
- serviu a você, dando a vida dele como resgate pela sua alma.

## Uma oração

*Ah, Senhor, dá-me um coração alegre para eu poder seguir nos teus passos e servir aos outros de bom grado. Quando o meu coração se cansar de servir, faze-me lembrar de ti e das tuas mãos santas lavando os pés dos discípulos! Que eu me torne idêntica a ti em atender às necessidades dos outros de forma abnegada. Amém e obrigada.*

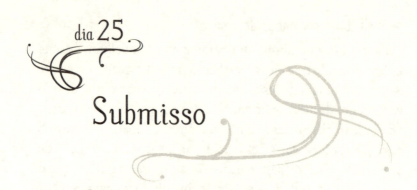

# dia 25

# Submisso

Meu marido, Jim, e eu fomos abençoados com oito netos lindos e saudáveis. Somos gratos a nosso Senhor, além do que podemos expressar por essa próxima geração. E oramos com fervor para que cada menino e cada menina cresçam amando e servindo a Jesus.

Agora, se você tem filhos, sabe muito bem que ser mãe não é fácil por muitas razões. Ainda depois de todos esses anos, lembro-me de ficar entusiasmada que uma das primeiras palavras a sair da boca das nossas duas doces menininhas fosse "mamãe" ou "papai". Mas não levou muito tempo até que outra palavra aparecesse no vocabulário delas. Era a palavra "não"! Uma das maiores causas de conflito em ser pai e mãe, e nas famílias, é a "guerra das vontades". As crianças resistem em seguir as instruções dos seus pais, porque querem o que querem, sem entender as consequências ou o valor das coisas que desejam. Lamentavelmente, essa batalha de autoridade e submissão continua enquanto você e eu, junto com os nossos filhos, lutamos com a submissão às pessoas e à vontade de Deus durante a nossa vida.

◆ Jesus nos mostra o caminho

Ao continuarmos a olhar para as qualidades que Jesus possuía, qualidades que também queremos imitar, o foco de hoje é na submissão, da forma que foi vista na vida do nosso Senhor. Mas você deve estar pensando: "Espere aí! Jesus não é Deus? Ele não tinha que receber ordens de ninguém, certo?" Errado. Toda a vida de Jesus na terra foi gasta em submissão. É por isso que ele é o exemplo perfeito para seguirmos. Então, se você tem problemas com a submissão (e quem não tem?), em seguir os outros, espero que a observação de Jesus, hoje, a instrua e motive — e talvez até a constranja — a fazer algumas mudanças na sua atitude.

Mas, antes de observarmos alguns exemplos da submissão de Jesus, deixe-me explicar um pouco sobre esse conceito. Quando estava escrevendo o meu livro *Uma mulher segundo o coração de Deus*, fiz uma pesquisa sobre esse termo para o capítulo sobre o casamento, intitulado *Um coração que se submete*. Aqui está uma definição que golpeou o meu coração: "Submissão" (*hypotasso*) é, primariamente, um termo militar que significa posição de pessoas sobre as outras. Essa atitude de coração é vivida por meio da sujeição e da obediência, deixando coisas ao julgamento de outra pessoa e rendendo-se à opinião ou autoridade de outrem.[1]

Antes que você comece a se irritar — ou decida pular este capítulo —, considere estes exemplos de submissão no nosso querido Jesus. Vamos começar com uma das primeiras cenas dessa qualidade na vida dele.

### FILHOS, SEDE OBEDIENTES A VOSSOS PAIS

Essas palavras estão em Efésios 6.1. O propósito delas é fazer que os filhos saibam o seu papel numa família cheia do Espírito. Vemos esse texto e esse princípio vivenciados em Jesus quando criança. Não há relato bíblico da vida de Jesus

---

[1] GEORGE, Elizabeth. *Uma mulher segundo o coração de Deus*. São Paulo: United Press, 2000, p. 69.

desde o seu nascimento até ter viajado com José e Maria, sua mãe, para Jerusalém, aos 12 anos de idade. Pensando que o jovem Jesus estava com alguns parentes, que também vieram na viagem, Maria e José saíram de Jerusalém para casa para então descobrir, em algum lugar ao longo do caminho, que Jesus não estava com os outros viajantes.

José e Maria imediatamente correram de volta a Jerusalém, onde encontraram o menino Jesus no templo *sentado entre os doutores, ouvindo-os e fazendo perguntas* (Lc 2.46). É evidente que José e Maria não entenderam o que Jesus estava fazendo no templo (v. 49,50). Mesmo assim, Jesus deixou a sessão de perguntas e respostas voluntariamente e *desceu com os seus pais, indo para Nazaré, e obedecia a eles* (v. 51).

O relacionamento que Jesus desfrutava com o seu Pai celestial não anulava as suas obrigações com os seus pais terrenos. Ele, como todos do povo de Deus, deveria se submeter ao quinto mandamento, que declara: *Honra teu pai e tua mãe* (Êx 20.12). Sua submissão a todas as leis de Deus — incluindo honrar os seus pais — era essencial para vivenciar de forma perfeita a lei de Deus, para que ele pudesse ir para a cruz como sacrifício justo e sem pecado pelo pecado do homem.

## HONRA TEU PAI E TUA MÃE

Quando você era criança, espero que tenha sido submissa e obediente aos seus pais. E, se você é casada, o novo líder na sua vida é o seu marido. A Bíblia diz que você deve "deixar" os seus pais e se "unir" ao seu marido, seguindo-o em vez de a seus pais (Gn 2.24). Todavia, casada ou solteira, você deve se submeter à Palavra de Deus e honrar seu pai e sua mãe (Mt 15.4) e ao papel dado por Deus a eles, como pais enquanto viverem.

Honre os seus pais. O que isso significa? Honrar significa falar bem dos seus pais, respeitá-los e lhes mostrar toda a cordialidade pela sua posição como pais. A família é o relacionamento básico e fundamental onde a submissão é exigida. Se você é mãe, a melhor forma de ensinar a submissão a seus filhos é mostrando honra e respeito pelos seus próprios pais.

Qual é a mensagem de Jesus para você, para mim e para todo cristão? Se o filho de Deus se submeteu aos pais terrenos dele e até o fim honrou a mãe enquanto estava pendurado na cruz (Jo 19.26,27), você também deve desejar honrar o seu pai e a sua mãe.

## SE ME AMARDES, OBEDECEREIS AOS MEUS MANDAMENTOS

Nada foi escrito sobre Jesus desde os seus 12 anos de idade até abordar João Batista para ser batizado e iniciar o seu ministério terreno. Isso faz do encontro com João o primeiro evento público do seu ministério. Ele marcou a sua identificação com aqueles cujos pecados suportaria na cruz (Mt 3.13-17). Jesus pediu que João o batizasse. Sabendo que Jesus era o Cordeiro de Deus imaculado (Jo 1.29), João inicialmente resistiu ao pedido de Jesus. Mas Jesus insistiu, afirmando: *Deixa por enquanto; porque assim nos convém cumprir toda a justiça* (Mt 3.15).

Jesus estava se submetendo ao plano de Deus, ao se preparar para ser o sacrifício perfeito pelos pecadores. Jesus estava se identificando com os pecadores em obediência ao Pai. O Pai honrou a obediência de Jesus, falando do céu: *Este é o meu filho amado, de quem me agrado* (v.17).

### ◆ Refletindo em seu coração

Se você está se sentindo um pouco distante no seu relacionamento com o seu salvador, talvez seja porque existe alguma área da submissão que você está escolhendo desconsiderar. Tire algum tempo para sondar o seu coração. Seja honesta. Essa qualidade da submissão é essencial para agradar a Jesus e ser como Jesus. Ela também demonstra o seu amor por ele, pois, como ele disse: *Se me amardes, obedecereis aos meus mandamentos* (Jo 14.15).

## Viverá de toda palavra que sai da boca de Deus

Imediatamente depois do seu batismo, Jesus foi levado para o deserto e passou os próximos quarenta dias sem comida. Durante esse tempo, ele foi tentado de forma severa pelo diabo. A Bíblia relata três tentações específicas (Mt 4.1-11). Como Jesus lidou com elas? Ele se defendeu com as Escrituras, declarando: *Está escrito...* a cada vez. Em resposta à primeira tentação, Jesus disse ao diabo: Está escrito: Nem só de pão o homem viverá, mas de toda palavra que sai da boca de Deus (v. 4).

Conhecer, viver e se submeter à Palavra de Deus é uma arma eficaz contra a tentação e a possibilidade de ceder a ela, cometendo pecado. A única arma de ataque fornecida na armadura do cristão é a *espada do Espírito, que é a Palavra de Deus* (Ef 6.17). Jesus usou a espada das Escrituras para conter os ataques do diabo e nos mostrar que deveríamos fazer o mesmo.

### ◆ Refletindo em seu coração

Para ser verdadeiramente eficaz, você deve se submeter à Palavra de Deus, e não apenas recitá-la como se fosse uma fórmula mágica. Não, para ser vitoriosa e se defender contra os *dardos em chamas do Maligno* (Ef 6.16), você deve se submeter a Deus por meio da sua Palavra, que lhe dará o poder para *resistir ao diabo, e ele fugirá de vós* (Tg 4.7). Então leia a sua Bíblia. Ame a Palavra de Deus e confie nela. Pois, quando a tentação vier — e você sabe que virá! — você estará preparada, com a sua "espada" sempre afiada e pronta.

## É correto pagar tributo?

Os líderes religiosos dos dias de Jesus tinham dificuldades para se submeter à autoridade romana. Numa tentativa de arranjar problemas para Jesus, fizeram uma pergunta impossível de ser respondida: É correto pagar tributo a César, ou não? (Mt 22.17). Se Jesus dissesse sim, eles poderiam acusá-lo de ser desleal à nação judaica. Se ele dissesse não, eles poderiam acusá-lo de traição aos romanos. Jesus deu esta resposta tão famosa: *Dai a César o que é de César, e a Deus o que é de Deus* (v. 21). Jesus reconheceu que devemos nos submeter às autoridades governantes, e tanto Paulo como Pedro mais tarde repetiram o ensino de Jesus.[2]

Quando Jesus fez essa declaração sobre se submeter ao governo, ele não a qualificou dizendo que havia exceções. Ele não disse que dependia se as autoridades governamentais fossem boas ou ruins. Ele disse apenas que deveríamos nos submeter. O governo romano era brutal, fomentava a escravidão e tinha as mulheres e crianças em baixa consideração. Mas em nenhum momento Jesus condenou o governo.

Discutimos a natureza do relacionamento entre cristãos e o governo no capítulo sobre ser responsável. Mas se faz necessário repetir aqui, para que você e eu não nos esqueçamos de quanto é importante nos submetermos a uma instituição ordenada por Deus. Assim como em todas as formas de submissão, temos a ordem de nos sujeitarmos às leis do lugar. Deus colocou os governos sobre nós, para ajudar a nos proteger do mal.

Existe alguma exceção para essa submissão? Existe apenas uma: Devemos seguir a lei e os mandamentos de Deus se entendermos que a obediência às autoridades governamentais exige que desobedeçamos a Deus e à sua Palavra (At 4.19,20).

---

[2] Consulte Romanos 13.1-7 e 1Pedro 2.12-14 respectivamente.

## TOMA A TUA CRUZ E SEGUE A JESUS

Jesus nunca buscou grandes públicos para segui-lo. O seu desejo era formar os discípulos. Portanto, a sua mensagem para segui-lo apontava para o alto custo de ser um verdadeiro discípulo. Numa das ocasiões em que Jesus foi cercado por uma grande multidão, ele declarou: *Quem não leva a sua cruz e não me segue, não pode ser meu discípulo* (Lc 14.27). Durante uma reunião particular com os seus doze discípulos, ele disse: *Se alguém quiser vir após mim, negue-se a si mesmo, tome a sua cruz e siga-me* (Mt 16.24).

Há uma história na escolha da imagem que Jesus fez. A própria menção da palavra "cruz" instilava medo em qualquer um que vivia no território romano. Naqueles dias, quando um criminoso era levado à sua execução era forçado a carregar o instrumento da sua própria morte — uma cruz. Essa cruz se tornou um símbolo de submissão a Roma. Jesus escolheu essa figura e esse processo para forçar os discípulos e as multidões a pensar no seu nível de comprometimento com ele. Seguir a Jesus significava viver em submissão total a ele — ainda que isso levasse à morte.

### ◆ Refletindo em seu coração

O custo da lealdade a Jesus não mudou. Ainda existe um preço a pagar para segui-lo. Ser discípulo não era fácil nos dias de Jesus e não é fácil hoje. Uma sociedade ímpia torna ainda mais difícil ser um autêntico seguidor de Cristo. Jesus não está interessado num relacionamento casual com você, e ele não vai ficar em segundo plano por nada nem ninguém. Você pode provar que o seu compromisso com o Senhor é genuíno — verdadeiro — amando-o com todo o seu coração e seguindo-o com toda a sua força. Você vive para Jesus — e o reflete e honra — quando se submete ao que ele diz e à forma como ele faz as coisas.

## Não seja como eu quero, mas como tu queres

Seria realmente maravilhoso sempre saber o que Deus quer que você faça e então fazê-lo, não é mesmo? O nosso problema costuma chegar quando pensamos que temos uma ideia melhor de como levar a nossa vida. Eva teve esse problema em Gênesis 3.1-7. É claro que ela teve uma ajudinha do diabo, que a encorajou a duvidar da capacidade de Deus para liderar a sua vida. Lamentavelmente, as condições não mudaram hoje. Você e eu, com uma ajudinha da nossa carne pecaminosa e do nosso orgulho, costumamos desobedecer a Deus de forma obstinada.

Às vezes, como Eva, pensamos que podemos viver a nossa vida muito bem, sem a ajuda de Deus. Mas também como Eva, logo nos surpreendemos com problemas terríveis. Mas Jesus não vivia assim quando estava em forma física no meio da sua criação. Ele escolhia um curso de ação oposto, como visto e ouvido nestes textos:

> A minha comida é fazer a vontade daquele que me enviou e completar a sua obra (Jo 4.34).

> Não procuro a minha vontade, mas a vontade daquele que me enviou (Jo 5.30).

> E, adiantando-se um pouco, prostrou-se com o rosto em terra e orou: Meu Pai, se possível, afasta de mim este cálice; todavia, não seja como eu quero, mas como tu queres (Mt 26.39).

Jesus era completamente dependente do Pai para todas as suas ações. Como já aprendemos, a submissão era a sua forma de vida. E como você agora já sabe, deve ser a nossa forma de vida também. Ainda assim, às vezes pensamos que Deus não está falando realmente sério sobre a nossa submissão a ele, à sua Palavra e *uns aos outros* (Ef 5.21), que seguramente esse é um conceito ultrapassado. Quando pensamos e racionalizamos dessa forma — ou somos tentadas a tal —, devemos nos lembrar que Jesus, Deus filho, nunca pensou que ele era importante demais para submeter a sua vida inteira à liderança do Pai. Existe alguma coisa que ele está pedindo neste momento que você está resistindo ou se recusando a fazer? Lembre-se de Jesus, que *sofreu por nós, deixando-nos exemplo, para que sigamos os seus passos* (1Pe 2.21).

## ◆ Refletindo o coração de Jesus

Jesus nos mostra um caminho melhor para viver — o melhor caminho, o caminho dele — a estrada da submissão. Quando deixar de procurar caminhos para satisfazer os seus desejos e interesses egoístas, você ficará livre para se render a Jesus e aos seus caminhos de forma voluntária e de coração. Ao começar a se submeter primeiro e principalmente a Jesus, você achará muito mais fácil se submeter aos outros. Então você refletirá o coração submisso de Jesus de forma verdadeira.

### Uma oração

*Querido Jesus, minha vida em ti é um resultado da tua submissão à vontade do Pai de que morresses pelos pecadores — pecadores como eu. O meu coração transborda de gratidão e oro para que a minha submissão a ti e aos teus caminhos te glorifique e te revele aos outros. Amém.*

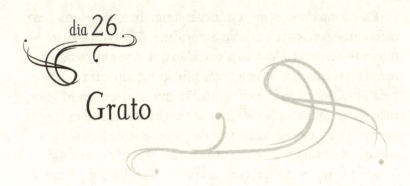

# dia 26

# Grato

Meu marido, Jim, foi abençoado com o privilégio de viajar pelo mundo. Essas viagens não eram de férias ou passeio. Não, eram para visitar e assistir missionários e dar aulas em conferências de liderança para pastores e líderes de igrejas em países estrangeiros. Numa de suas muitas visitas à Rússia, Jim estava dando aula num Instituto Bíblico em Moscou. Ainda era setembro, mas já estava nevando naquela grande cidade (pois o inverno começa apenas em dezembro no hemisfério norte). Os pastores presentes vinham de áreas remotas daquele vasto país. A maioria tinha viajado vários dias e noites, para participar da conferência de treinamento, que duraria a semana toda.

Antes que Jim saísse dos Estados Unidos para a conferência, pediram que ele orasse para levar consigo alguns ternos usados para doar a pastores com necessidade de roupas. Efetivamente, Jim tinha vários ternos fora de moda que tinha embalado para a viagem. Ele não pensou muito sobre isso até que os homens que os receberam encheram os olhos de lágrimas, fizeram gestos e buscaram qualquer forma de lhe comunicar a sua gratidão. Eles o abraçaram várias vezes. Oraram com ele e por ele. Louvaram a Deus pelo Jim e pelas roupas. Para eles, as roupas usadas eram uma grande bênção de Deus.

UMA MULHER QUE REFLETE O CORAÇÃO DE JESUS

Provavelmente nem seja necessário dizer que um Jim diferente aterrissou em solo americano. Ele estava absolutamente maravilhado com a gratidão que esses homens afetuosos haviam demonstrado. Ele ficou tocado para sempre pela emoção causada pela gratidão que eles exibiram, por receber as roupas que ele e os outros palestrantes lhes trouxeram. Todos os companheiros de ministério de Jim, sem exceção, voltaram para casa com as malas vazias, arrependidos de não terem levado mais roupas para deixar lá. E os pastores da Rússia? Bem, eles voltaram para casa usando o único terno que já haviam possuído.

## ◆ Jesus nos mostra o caminho

O louvor, a gratidão e o reconhecimento deveriam fazer parte constante da nossa vida como cristãos. Pense nisso — nós temos tanto! Mas, lamentavelmente, a nossa sociedade abastada tem tirado o brilho da graça de Deus e a sua graciosa provisão. Parece ser necessário fazer uma viagem a um país onde os cristãos são perseguidos e desfavorecidos para acordarmos e valorizar até as menores bênçãos que desfrutamos como filhas de Deus.

Ao continuar caminhando pela nossa galeria das qualidades que Jesus possuía, chegamos à obra-prima, que é a sua atitude de gratidão. Esta é realmente uma qualidade incrível, porque, como filho de Deus, ele criou e possuía tudo. Ainda assim, ele nunca deixou de demonstrar um espírito grato ao Pai celestial. Ao gastarmos tempo olhando agora para a gratidão, vamos primeiro agradecer ao Pai por *seu dom inexprimível*, o seu filho Jesus, nosso salvador (2Co 9.15).

### É NECESSÁRIO QUE ELE CRESÇA

O primo de Jesus, João Batista, era muito popular entre o povo de Israel. Grandes multidões o seguiam, ouviam-no pregar e se submetiam ao seu chamado ao arrependimento. No auge da popularidade de João, Jesus veio ao rio Jordão, onde João estava conduzindo o seu ministério. Como João reagiu à visita de Jesus, especialmente porque muitas pessoas estavam seguindo Jesus também (Jo 3.22-26)? João reagiu com uma atitude generosa, humilde e piedosa. Ele disse: *Não sou o Cristo, mas sou enviado adiante dele [...]. É necessário que ele cresça e eu diminua* (Jo 3.28,30).

Expressar gratidão e apreço pelos outros costuma ser difícil para as pessoas que estão envolvidas no mesmo ramo de trabalho ou, no caso dos cristãos, na mesma área de ministério. Se não tomarmos cuidado, você e eu podemos ficar com inveja das colaboradoras em Cristo que são mais dotadas e podem fazer um serviço melhor do que nós. Achamo-nos ameaçadas pelas suas habilidades e pela atenção que elas recebem pelo seu sucesso. Mas, como João Batista, devemos nos dar conta de que essas pessoas são enviadas de Deus. Também como João, temos a escolha de querer apoiar ou atrapalhar o seu trabalho. João compreendeu que estava testemunhando de um ser superior, o qual estava destinado a grandes coisas. Ele agradeceu e louvou a Deus por Jesus, fez os outros se voltarem para Jesus e então saiu do caminho, sabendo que havia cumprido o papel que Deus lhe destinara de anunciar a vinda do Messias.

### ◆ Refletindo em seu coração

Existe alguém num de seus ministérios ou no seu trabalho que tem talento e habilidades que você não possui? Não se sinta ameaçada e não tenha inveja das habilidades dela. Jesus e João lhe mostram um caminho melhor. Dê espaço. Veja se existe algo que você possa fazer para assistir essa pessoa. Fale bem dela e dê graças a Deus pela excelente forma pela qual ela faz o trabalho para o Senhor.

## Não surgiu outro maior que ele

João Batista havia apresentado Jesus às pessoas como aquele que traria julgamento com a sua vinda (Mt 3.11,12). Mais tarde, quando João foi posto na prisão, ouviu que Jesus estava curando os enfermos, e não trazendo julgamento como João havia pensado. Jesus era "aquele"? Estando confuso, João enviou vários de seus próprios discípulos para perguntar a Jesus se ele era verdadeiramente o Messias. Em resposta, Jesus enviou os discípulos de João de volta a ele como testemunhas oculares dos seus muitos milagres.

Talvez João estivesse um pouco desanimado. Afinal de contas, ele havia pregado por apenas um ano antes de ser encarcerado! Assim que os discípulos de João deixaram Jesus para contar a João o que tinham visto, Jesus falou às multidões acerca dele. Ele elogiou João, dizendo que este era *mais do que um profeta*, e que *entre os nascidos de mulher, não surgiu outro maior que João Batista* (Mt 11.9,11). Usando os escritos do Antigo Testamento, Jesus compartilhou a descrição de João: *Estou enviando à tua frente o meu mensageiro, que preparará o teu caminho diante de ti* (v. 10). Espero que os discípulos de João tenham voltado para ele com essas palavras de elogio, afirmação e encorajamento. Eles certamente relataram o que tinham visto Jesus fazer e o ouviram elogiar João, o seu mestre.

João era especial de fato! Ele era o escolhido para ser o mensageiro, o arauto do Messias por vir. Jesus queria que as pessoas soubessem quanto João era único. Ele queria que elas soubessem quanto ele era grato a João. Ele queria se certificar de que eles não se esqueceriam de João. Ser grata àqueles que a ajudaram a chegar à sua posição atual é também uma parte importante de uma atitude de gratidão. Jesus estava grato porque o Pai havia enviado João como o seu arauto, o seu mensageiro. Como as pessoas saberiam que o rei estava chegando sem que alguém precedesse o rei para contar a elas sobre a sua vinda?

◆ Refletindo em seu coração

É fácil se esquecer do que os outros fizeram, sacrificaram e contribuíram para você chegar onde está hoje. Talvez foram os seus pais, ou um antigo professor, mentor, chefe ou companheiro de trabalho, quem lhe mostraram as regras quando você era nova ou a encorajaram quando você não tinha certeza se poderia prosseguir. Você lhes agradeceu quando foi promovida? Você continua a manter contato e lhes agradece pelo seu apoio — passado, presente e, quem sabe, pela ajuda e apoio no futuro? Os discípulos tiveram Jesus. Timóteo e Tito tiveram Paulo. Marcos teve Pedro. Maria teve Isabel. Quem você tem? Por quem você é grata? Expresse isso a Deus e a essas pessoas.

## GRAÇAS TE DOU, Ó PAI

Depois que Jesus foi rejeitado pelo povo de Nazaré (Mt 4.12,13), ele transferiu o seu quartel-general para a cidade de Cafarnaum, ainda na região da Galileia. Ele operou muitos milagres maravilhosos nessa área e nas redondezas. Você pensa que as pessoas o adotaram com todo o entusiasmo como Messias? Ainda assim, elas mostraram total indiferença a ele. Jesus denunciou a sua rejeição e distinguiu especificamente Cafarnaum (11.20-24). Mas então ele fez algo um pouco inesperado. Em lugar de ficar abatido, rendeu graças (ou "louvor", NVI) ao Pai: *Graças te dou, ó Pai, Senhor do céu e da terra, porque ocultaste estas coisas aos sábios e eruditos, e as revelaste aos pequeninos. Sim, ó Pai, porque assim o quiseste* (Mt 11.25,26).

Pelo que Jesus agradeceu ou louvou ao Pai? Ele agradeceu a Deus por haver ocultado o significado de suas palavras e obras daqueles que eram supostamente "sábios" e "eruditos".

240 UMA MULHER QUE REFLETE O CORAÇÃO DE JESUS

Ele louvou a Deus porque, em vez disso, ele tinha escolhido revelar Jesus e a sua mensagem aos "pequeninos", àqueles que não eram formalmente educados, mas humildes e estavam dispostos a receber a verdade.

## ◆ Refletindo em seu coração

Algo aconteceu na sua vida que parecia estranho ou não fazia sentido? Talvez você não conseguisse entender como o amor de Deus poderia deixar algo daquele tipo acontecer a você ou a algum ente querido. Bem, você não está sozinha. A maior parte das pessoas vivenciam situações que são difíceis ou impossíveis de entender. Em lugar de questionar o Pai, o Senhor do céu e da terra, com os seus porquês, imite a vida de Jesus e seja grata. É como a Bíblia diz: *Sede gratos por todas as coisas, pois essa é a vontade de Deus em Cristo Jesus para convosco* (1Ts 5.18).

### GRAÇAS TE DOU, PORQUE ME OUVISTE

Jesus tinha doze discípulos, mas ele também tinha alguns amigos especiais como Lázaro e as suas duas irmãs, Maria e Marta. Jesus tinha visitado Betânia e a casa deles muitas vezes, porque era perto de Jerusalém. Já vimos esse trio antes, mas, como as diferentes cores de um arco-íris, podemos nos focar e ver melhor algo diferente a cada vez que as observamos. Aqui, vemos um encontro com eles que levou Jesus a dar graças verbalmente a Deus.

Ao se aproximar do fim de seus três anos de ministério, Jesus recebeu a notícia de que Lázaro estava doente. Quando Jesus e os seus discípulos chegaram à cena, Lázaro já estava no túmulo havia quatro dias. Depois de se encontrar com as irmãs, Jesus ordenou que o sepulcro de Lázaro fosse aberto. Todos ficaram chocados pensando no que veriam e no cheiro que sentiriam! Ao removerem a pedra do sepulcro,

Jesus rendeu esta oração de ação de graças: *Pai, graças te dou, porque me ouviste. Eu sei que sempre me ouves; mas por causa da multidão que está aqui é que assim falei, para que creiam que me enviaste* (Jo 11.41,42).

Jesus e o Pai nunca perdiam o contato, de modo que não havia necessidade de que ele orasse de fato, ou de orar em voz alta em público. Mas aqui Jesus agradeceu aberta e publicamente ao Pai. Por quê? Para que todos pudessem ouvir! Jesus queria que as pessoas presentes junto à tumba — e nós também hoje — soubessem e dessem graças porque Deus está sempre conosco e sempre ouve quando oramos.

◆ Refletindo em seu coração

Você também pode agradecer a Deus porque ele ouve as suas orações. Ainda que você não possa presumir que sabe como Deus responderá, pode saber que Deus é bom e que ele não pode fazer nada que não seja coerente com a sua natureza santa e justa. Jesus disse: *Quem dentre vós, se o filho lhe pedir pão, lhe dará uma pedra? [...] quanto mais vosso Pai, que está no céu, dará boas coisas aos que lhe pedirem!* (Mt 7.9-11). Agradeça a Deus, porque de qualquer forma que ele responder à sua oração, você pode saber que será, em última instância, para o seu bem e a glória dele.

### Refletindo um espírito grato

Até o fim do seu ministério terreno, Jesus continuou rendendo orações de graças ao Pai por tudo o que ele havia realizado por ele e com ele, o seu filho. Em sua Oração Sacerdotal em João 17, antes da sua traição, Jesus agradeceu ao Pai

◆ Pelo poder e a oportunidade de assegurar a vida eterna a todos os crentes (Jo 17.2).

◆ Por lhe dar os discípulos (v. 6,7).

242 UMA MULHER QUE REFLETE O CORAÇÃO DE JESUS

◆ Porque os crentes tinham ouvido a palavra do Pai, a qual Jesus tinha transmitido, e obedecido a ela (v. 8).

Então, com um coração grato, Jesus voltou o seu foco para a cruz e a sua morte. Como Jesus poderia ser grato? Qual era a razão para essa atitude grata? Ele sabia que o Pai estava no controle absoluto. Ele sabia que tudo estava acontecendo de acordo com o plano divino de Deus.

O seu coração está cheio de ação de graças? Existe alguma razão para você não demonstrar mais da atitude de gratidão de Jesus? Por exemplo:

> Talvez você não conheça Jesus e tenha diante de si um futuro desconhecido sem segurança. Peça que Deus lhe conceda a graça dele para receber Jesus Cristo como o seu salvador e lhe dar o dom da vida eterna. Então você também poderá ser grata de forma abundante (Ef 2.8,9).

> Talvez você seja uma crente que esqueceu como a sua vida era sem esperança antes de conhecer e pertencer a Jesus. Não existe dom maior que o dom da salvação. E, como com qualquer dom, você deveria dizer: "Obrigada" — constantemente! Pare por um momento e agradeça a Deus pelo seu dom indescritível em Jesus Cristo (2Co 9.15). Então faça o propósito em seu coração de responder com gratidão, louvor e alegria ao Senhor por Jesus e o tesouro da salvação que ele dá.

◆ Refletindo o coração de Jesus

Tradicionalmente, uma celebração do Dia de Ação de Graças (que acontece todos os anos no mês de novembro nos Estado Unidos) é associada a dar graças e demonstrar gratidão a Deus pelos frutos da sua generosidade e provisão. O louvor e as ações de graças não deveriam ser reservados e resumidos apenas a um dia especial determinado. Exaltar a Deus e dar graças deveriam ser uma parte normal do dia a dia. Agradeça a ele antes de sair da cama. Agradeça a ele antes de cada refeição. Agradeça a ele pela família, pelos amigos, por uma boa igreja e pela sua provisão.

Mas o agradecimento não deve fluir apenas de seus lábios por Deus e pelo seu dom Jesus. Você também deve erguer louvor pelas pessoas que Deus coloca em seu caminho. Você pode demonstrar também gratidão a essas pessoas. Nunca é demais dizer obrigada aos pais, amigos, líderes da igreja e especialmente à família. Deus usou todas essas pessoas para moldá-la e formá-la na mulher que você é hoje — uma mulher que reflete o coração de Jesus.

## Uma oração

*Agora, ó Senhor, prostro-me diante de ti com um coração grato. Nas palavras do rei Davi, fico maravilhada, pois quem sou eu, ó Senhor Deus, para que tenhas me abençoado de forma tão abundante? Pela tua salvação, pelo perdão dos meus pecados, pela minha família e igreja, rendo-te louvor e ação de graças de forma inadequada, mas sincera. Obrigada, querido Senhor!*

## dia 27

# Verdadeiro

Eu cresci numa cultura de cidade pequena, onde falar as "mentirinhas brancas" tinha se desenvolvido numa forma de arte. Veja, era inaceitável e até considerado falta de educação magoar os sentimentos de alguém. Então, de vez em quando, poderia ser necessário esticar ou distorcer a verdade, ou ser propositadamente vago, para não ofender a outra pessoa. Por exemplo, se uma pessoa com quem você realmente não quer passar tempo junto pedisse para vocês saírem juntas, você inventaria uma história ou uma razão como desculpa.

Talvez você consiga imaginar a minha dificuldade quando, aos 28 anos de idade, me tornei cristã. Como eu tive bons professores em distorção da verdade, também tinha desenvolvido a fina arte da mentirinha branca. Ah, não eram mentiras grandes nem terríveis, só pequenas — mentiras brancas! A minha cultura tinha fornecido os meus modelos e exemplos por todos aqueles anos, sem mencionar uma contribuição muito forte feita pela minha própria natureza pecaminosa! Quando li o que Deus tinha a dizer sobre a vida na minha Bíblia nova em folha, comecei a descobrir a forma de vida de Jesus. Estava escrito assim: *Por isso, abandonai a mentira, e cada um fale a verdade com o seu próximo* (Ef 4.25). E o melhor de tudo é que em Jesus eu tinha um novo modelo, um exemplo perfeito para viver uma vida de veracidade.

## A VERDADE SOBRE A VERDADE

Você já imaginou de onde veio o conceito e a realidade da verdade e da veracidade? Todas as coisas relacionadas à verdade se originaram em Deus. Por exemplo, considere estas verdades sobre as pessoas da Trindade:

- *Deus não pode mentir* (Tt 1.2).
- *Deus é espírito e é adorado em espírito e em verdade* (Jo 4.24, ARC).
- A Palavra de Deus, a Bíblia, *é a verdade* (Jo 17.17).
- O Espírito Santo, o nosso consolador, é o *Espírito da Verdade* (Jo 14.17).
- Jesus é o *caminho, a verdade e a vida* (Jo 14.6).
- Jesus é a palavra viva, *cheio de graça e de verdade* (Jo 1.14).

Observaremos a vida de Jesus baseada na verdade, e os seus ensinos num minuto, mas agora você se dá conta de que falar a verdade entrou nos Dez Mandamentos? No texto de Êxodo 20.16, Deus disse: *Não dirás falso testemunho contra o teu próximo.* Em outras palavras, devemos falar a verdade e nada além da verdade!

## O ALERTA SOBRE AS MENTIRAS

Além de nos mandar falar a verdade, Deus também odeia a mentira e o ato de mentir. Davi escreveu para Deus num de seus salmos: *Destróis os que proferem mentiras* (Sl 5.6). No livro de Provérbios, lemos: *O Senhor odeia lábios mentirosos* (12.22). Em outro provérbio Deus lista sete coisas que ele odeia e considera como abominação para ele. Uma delas é uma *língua mentirosa.* Se isso ainda não foi o suficiente, outro item na lista de coisas que Deus odeia é a *testemunha falsa que profere mentiras* (Pv 6.17,19).

246 UMA MULHER QUE REFLETE O CORAÇÃO DE JESUS

Como mulheres que amam a Deus e querem segui-lo com todo o coração e refletir as qualidades inspiradoras que o nosso salvador deixava transparecer, assumamos o compromisso neste momento de buscar essa virtude de ser verdadeiras... como o nosso Senhor.

## ◆ Jesus nos mostra o caminho

Como Jesus era — e é — a verdade, é um pouco mais difícil estabelecer claramente a evidência dessa qualidade de caráter nele, porque ele simplesmente a vivia. Ele era a verdade! Mas existem algumas afirmações que ele fez que podemos guardar na mente ao nos esforçarmos para falar e andar na verdade.

### EU DIGO A VERDADE

Aqui está um estudo dos opostos. Numa das muitas vezes em que Jesus discutiu a verdade com os escribas judeus e os fariseus, ele teve isto a dizer: *O vosso pai é o diabo, [...] e não se firmou na verdade, pois nele não há verdade. Quando ele mente, fala do que lhe é próprio, pois é mentiroso e pai da mentira [...] Mas [...] eu digo a verdade [...]* (Jo 8.44,45).

Espero que você perceba os contrastes — o diabo contra Cristo; mentir contra falar a verdade. É muito claro, não é mesmo? E chocante! É como um comentarista da Bíblia explica: "As atitudes e ações dos líderes judeus os identificaram claramente como seguidores de Satanás [...] eles eram ferramentas de Satanás executando os planos dele; eles falavam exatamente a mesma linguagem de mentiras".[1]

---

[1] BARTON, Bruce B. *Life application Bible commentary — John.* Wheaton, IL: Tyndale House, Inc., 1997, p. 185.

## ◆ Refletindo em seu coração

Deus e o seu filho, Jesus, deixaram meticulosamente claro que a mentira não tem lugar num filho de Deus. Seguir a Deus — que odeia a mentira — significa que você deve falar a verdade e se recusar a mentir. Crer em Jesus — que é a verdade e falava a verdade — significa que você deve falar somente a verdade. Você deseja agradar a Deus e viver — e falar — como o filho dele falava? Então se concentre em vivenciar a segunda metade de Provérbios 12.22 e compreender a sua inspiradora promessa: *O Senhor odeia lábios mentirosos, mas se agrada dos que praticam a verdade.*

### Seja o vosso falar sim, sim; não, não

Jesus era o sumo mestre. Ele era direto, simples e claro com as verdades que queria que os seus seguidores aplicassem. Ele falou palavras muito práticas em Mateus 5.37, que me surpreendo recitando praticamente todos os dias: *Seja, porém, o vosso falar sim, sim; não, não.* A sua mensagem era: "Falem a verdade! Digam o que sentem e sintam o que dizem. Façam o que disserem que farão ou não farão. Assim os outros podem confiar e acreditar em vocês".

A prática nos dias de Jesus era — e essa prática ainda está em voga hoje em dia — acrescentar um juramento ou jurar que o que você diz é verdade. Mas quando o seu sim significa sim, e o seu não significa não, não há necessidade de jurar pelo túmulo de ninguém ou pelo nome de alguém. Não há necessidade de explicar o fato de que o que você está dizendo é verdade ou que está falando honestamente. Não há necessidade de acrescentar qualquer referência a Deus como sua testemunha. Como mulheres cristãs, prestamos contas a Deus de cada palavra que falamos. Deveríamos, portanto, falar somente a verdade e mais nada.

# 248 UMA MULHER QUE REFLETE O CORAÇÃO DE JESUS

## ◆ Paulo nos fala como

Vimos algumas más notícias — Deus odeia a mentira e os mentirosos. Bem, felizmente, as boas notícias nos aguardam, porque a Bíblia está cheia de ajuda e instruções para se tornar uma mulher que reflete Jesus e a sua veracidade. Os ensinos e mandamentos encontrados nas páginas das Escrituras nos falam de como lidar com o velho problema de escolher falar a verdade... ou mentir. Veja agora várias verdades que a ajudarão a andar e viver em veracidade. Trate essas verdades como uma lista de afazeres diários.

### ABANDONAI A MENTIRA

Primeiro, os cristãos deveriam *abandonar a mentira* (Ef 4.25). Isso significa que não temos parte na mentira ou em mentir. Devemos abandonar a mentira, deixá-la de lado, nos livrarmos dela e não ter nada a ver com ela.

Em vez disso, cada crente *fale a verdade com o seu próximo* (Ef 4.25). Então lá se vai o velho comportamento — mentir — e entra o novo, falar a verdade. O apóstolo Paulo, o escritor dessas palavras, estava focando a unidade da igreja e da família de Deus. Ele sabia que mentir mina a verdade e destrói os relacionamentos. Estou certa de que você sabe que isso é verdade nas suas amizades, no seu casamento, entre cristãos e até no trabalho.

### FALAI A VERDADE

Paulo escreveu mais um pequeno conselho sobre a verdade para nós. Ele disse que devemos *seguir a verdade em amor* (Ef 4.15). Verdade é verdade, mas, sem amor, a verdade pode acabar sendo áspera, fria ou estéril.

Nas palavras do líder cristão e clérigo britânico John Stott: "A verdade torna-se dura se não vier suavizada pelo amor; o amor torna-se mole se não vier fortalecido pela verdade".[2]

Como está o seu quociente de amor? Qualquer lugar aonde você vá ou em qualquer momento que gaste com alguém — amigos, vizinhos, colegas de trabalho, chefes, as pessoas da igreja — você vai conversar com certeza! Quando a sua boca estiver aberta, você precisa fazer todo o esforço para falar a verdade e nada além da verdade. Você deverá trabalhar de forma intencional para falar a verdade com amor. É uma tarefa assustadora, mas vem diretamente de Deus. Assim como o amor!

Se você tem a sua família em casa, esse é o melhor lugar para aprimorar o hábito de comunicar a verdade com amor. Toda mãe tem diversas oportunidades para ensinar, treinar e discipular os seus rebentos. Tal instrução é recebida muito melhor se for oferecida com uma grande dose de amor. Como mãe de duas meninas, tentei arduamente implantar a sabedoria de Provérbios enquanto tirava informações valiosas do coração das minhas filhas. Os meus favoritos eram — e ainda são:

> *O coração do justo medita sobre o que deve responder; mas da boca dos ímpios jorra maldade* (Pv 15.28).

> *O coração do sábio instrui sua boca e aumenta em seus lábios o conhecimento* (Pv 16.23).

Como pode ver, você tem que se esforçar para falar a verdade com amor. Quando ensinar  seus filhos dessa forma, adivinhe o que acontecerá? Você também estará ensinando a

---

[2] Conforme citado por BARTON, Bruce B. *Life application Bible commentary —* Ephesians. Wheaton, IL: Tyndale House, 1997, p. 86.

si mesma a falar as verdades duras e necessárias de maneira amorosa. Uma vez que tiver aprendido como aplicar a veracidade com a família, então estará pronta para fazer o mesmo com muitos outros que cruzarem o seu caminho.

## NÃO SEJAM CALUNIADORAS

Como este livro é sobre ser uma mulher que reflete o coração de Jesus, quero especialmente trazer à tona a fofoca e a calúnia. Escrevi em muitos dos meus livros sobre a minha própria dificuldade com esses dois pecados que fluem de forma tão fácil, tão natural! Os versículos-chave — ou melhor, as verdades-chave! — que penetram o meu coração são passagens que foram escritas especificamente para as mulheres.

O primeiro texto declara que as esposas dos líderes da igreja, ou as mulheres que servem na igreja, *devem ser* [...] não caluniadoras (1Tm 3.11). A mensagem é clara e óbvia. As mulheres que servem aos outros na igreja não devem ser fofoqueiras.

O outro versículo que mudou a minha vida ensina que as mulheres mais velhas, mais maduras, na igreja *não* [sejam] *caluniadoras* (Tt 2.3). *Hummm...* Você percebeu que essas palavras são exatamente as mesmas do versículo anterior? Isso significa que a mensagem é a mesma. Servir ou ajudar os outros cristãos e especialmente as mulheres na igreja exige que não falemos calúnia ou fofoca sobre os outros. "Caluniador" é uma palavra usada 34 vezes no Novo Testamento para descrever Satanás. Como já aprendemos anteriormente neste capítulo, ele é um mentiroso e o pai da mentira. Ele defende tudo que é oposto à verdade.

Como já disse, eu tenho um problema — um grande problema — com fofoca e calúnia. Mas felizmente as verdades da Bíblia vieram ao meu resgate. Elas farão o mesmo por você ao buscar a semelhança com Cristo no seu falar.

## ◆ Refletindo o coração de Jesus

A verdade — e a veracidade — é uma qualidade de ouro. E também é temporal. Ela é imutável, porque está conectada com o caráter imutável de Deus. Deus não pode mentir. Ele lhe comunica perfeitamente a verdade imutável na sua Palavra. E, porque ele é verdadeiro, você pode acreditar que o que ele diz é a verdade. Uma de suas promessas foi que ele enviaria o seu filho, que também não poderia mentir. Jesus era verdadeiro o tempo todo, mesmo nas situações mais difíceis. Ele vivenciou a veracidade diariamente, momento a momento, e o Pai foi glorificado com o seu exemplo consistente.

Como mulher que ama a Jesus, estou certa de que você deseja honrar a Jesus com o seu comportamento e as palavras da sua boca. Você o reflete e age como ele quando permite que a verdade habite em você para controlar o seu falar e as suas ações. Quando viver e falar a verdade, independentemente do que acontecer, você colherá múltiplas bênçãos. Por exemplo:

- ◆ A verdade a liberta enquanto a mentira a escraviza ao pecado.
- ◆ A verdade une os corações enquanto o engano destrói os relacionamentos.
- ◆ A verdade é sobrenatural enquanto a mentira é uma reação bem natural.
- ◆ A verdade faz que você se volte para o céu enquanto a mentira a rebaixa ao nível do enganador.
- ◆ A verdade é uma graça que nunca sai de moda enquanto a mentira leva somente à desgraça.
- ◆ Uma mulher verdadeira sempre será respeitada. E a sua honestidade sempre honrará e glorificará a Deus.

## Uma oração

Querido Senhor de toda a graça e verdade, obrigada por falares a verdade para que eu possa te conhecer, crer em ti e confiar em ti. Tu és o caminho, a verdade e a vida. Oro para que eu amadureça a ponto de a verdade se tornar a minha forma de vida. Amém.

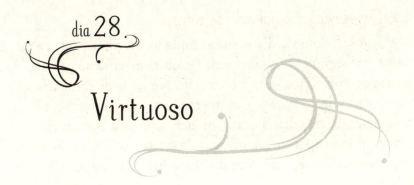

# dia 28

# Virtuoso

Antes mesmo de começar a escrever sobre uma qualidade que soa um pouco antiquada — a de ser "virtuoso" —, tenho de compartilhar com você que o meu primeiro pensamento é a mulher de Provérbios 31. O álbum de fotos de Deus dessa mulher notável aparece em Provérbios 31.10,31. E o primeiro versículo faz uma pergunta: *Mulher virtuosa, quem a achará? Ela vale muito mais do que joias preciosas* (v. 10). A vida virtuosa dessa dama se trata da excelência. Ela buscava fazer bem todas as coisas, viver as prioridades de Deus e cuidar bem de suas responsabilidades e das pessoas na sua vida, por causa do seu compromisso com a excelência.

Essa mulher é um presente divino! Ela está ali para mim o tempo todo. Quando falho ou reluto com os meus papéis e responsabilidades, corro para esses 22 versículos práticos, para uma atualização de curso pela perspectiva de Deus sobre a minha vida. Quando sinto as minhas prioridades mudando, essa senhora me encoraja a me manter no caminho certo. Quando penso que possivelmente não conseguirei seguir em frente ou terminar tudo, uma nova consulta à sua dedicação e devoção restaura a minha energia e renova o meu compromisso com o plano de Deus para mim. Quando começo a perder a visão, uma visita a essa mulher que foi elogiada por Deus reacende o meu amor por ele.

# ◆ Descobrindo o significado de virtuosa

"Virtuosa." Como já disse, soa antiquado, até pudico. Mas o que isso significa? Ao fazer uma pesquisa extensa na passagem de Provérbios 31, tive bom êxito por meio de comentários, teses de doutorado e inúmeros livros que revelaram os detalhes da vida diária dessa mulher. Aqui está algo crucial que aprendi sobre o significado de "virtuosa" para o livro que escrevi sobre a mulher de Provérbios 31: *Bela aos olhos de Deus*.

> O significado da palavra *virtuosa* pode ser comparado aos dois lados de uma moeda. O *poder da mente* (princípios morais e atitudes) forma a imagem de um lado, e o poder do corpo (vigor e eficiência) forma o outro [...]. A palavra hebraica que designa *virtuoso* é usada mais de 200 vezes na Bíblia para descrever um exército. No Antigo Testamento, essa palavra refere-se a *uma força* e é usada para significar *apto, capaz, vigoroso, forte, heroico, poderoso, eficiente, opulento e notável*. A palavra também é usada para referir-se a um homem de guerra, a vários homens de guerra e a homens preparados para a guerra [...]. Assim como a força mental e a energia física são características determinantes de um exército, elas também definem a bela mulher de Deus.[1]

Ao considerarmos a qualidade de caráter "virtude" ou "virtuoso" na vida de Jesus, usarei sinônimos como "excelência", "poder" e "bondade" ao longo do caminho. Agora, prepare-se para uma coisa maravilhosa! Essa é uma qualidade realmente magnífica que transformará a sua vida!

---

[1] GEORGE, Elizabeth. *Bela aos olhos de Deus*. São Paulo: United Press, 2002, p 18 e 20.

### ◆ Jesus nos mostra o caminho

Assim como em todas as coisas, Jesus nos mostra o caminho para a virtude e a excelência. Embora Jesus fosse Deus em carne humana, em sua humanidade ele também enfrentou situações desanimadoras e bloqueios ao seu progresso. Ele teve fome, frio, cansaço e exaustão — da mesma forma que nós. Ainda assim, ele era fiel em se recompor e seguir em frente para fazer a vontade de Deus. Veja agora como ele lidou de forma excelente com inúmeras situações. Essa era uma virtude que o impulsionava a continuar seguindo em frente.

#### Em quem me agrado

Jesus iniciou o seu ministério público com cerca de 30 anos de idade (Lc 3.23). O que o qualificava para servir a Deus? Resposta: A forma virtuosa pela qual ele viveu a sua vida até aquele momento. Durante os primeiros trinta anos de Jesus, não há ocasiões registradas de milagres, visões, anjos, ou da voz de Deus estrondando do céu. Ele simplesmente viveu uma vida meio isolada com a sua mãe e os seus irmãos. Ele cresceu, trabalhou duro, cuidou da família, recebeu educação e adorava a Deus junto com os outros membros da sua comunidade. Assim como você e eu, ele estava sujeito ao processo normal do crescimento humano e do desenvolvimento, progredindo intelectual, física e espiritualmente. A Bíblia explica que *Jesus crescia em sabedoria, em estatura e em graça diante de Deus e dos homens* (Lc 2.52). Em outras palavras, o seu progresso recebia aprovação tanto dos homens quanto de Deus. Nem Deus nem os homens podiam ver defeito no seu progresso.

Essa normalidade soa um pouco mundana? Entediante? Rotineira? Monótona? Quero dizer: "Onde estão os fogos de artifício"? Mas perceba que esses anos não foram insignificantes. Essas décadas foram vitais para a sua preparação. Agora para o boletim escolar de Jesus: Como ele se saiu durante esses trinta

256 UMA MULHER QUE REFLETE O CORAÇÃO DE JESUS

anos? Agora a voz de Deus Pai estronda do céu! Com todo o poder, ele falou da sua aprovação a Jesus assim que Jesus iniciou
o seu ministério e foi batizado no rio Jordão por João Batista.
Deus proclamou para todos ouvirem — e para nós lermos hoje:
*Este é o meu filho amado, de quem me agrado* (Mt 3.17).

Olhando para trás agora, e sabendo da aprovação de Jesus,
podemos ver que Jesus desempenhou o seu papel de tal forma — a forma da excelência — que recebeu a aprovação pú-
blica do Pai. Ele tinha vivido virtuosamente, de acordo com o
caráter e o padrão de Deus.

### ◆ Refletindo em seu coração

É óbvio que Deus (e todo mundo que você conhece!) sabe
que você não é perfeita. Mas ele também sabe que você
precisa de um modelo, um guia para lhe mostrar como
viver e desempenhar o seu papel de tal forma que o agra-
de. Então Deus deu o seu próprio filho para lhe mostrar o
caminho. Se você quiser saber o que é virtude e ver como
é a excelência, olhe para Jesus. Faça como Jesus fazia e
tire tempo para crescer e se desenvolver. A excelência é
um processo. Não acontece da noite para o dia. Existe um
curso de ação envolvido nisso. Então se sinta encoraja-
da — você é uma obra em construção. Você pode crescer
em qualquer área em que estiver defasada. Então trabalhe duro. Cuide da sua família. Seja fiel na adoração. E,
enquanto cresce, aprenda tudo o que puder sobre Jesus.
Estude o seu caráter. Perceba a sua virtude. Maravilhe-se
com a sua excelência. Ande como ele andou. Copie-o. Adote
as maneiras dele como suas. Reflita Jesus e a sua excelência, e você espelhará o caráter de Deus.

#### ELE FAZ BEM TODAS AS COISAS

Agora avance dois anos na vida de Jesus, dois anos durante
os quais ele ficou muito à vista do público. Ele e os discípulos

estavam constantemente sob os olhares daqueles que precisavam da ajuda deles... e daqueles que estavam procurando oportunidades para desacreditar a vida e o ministério de Jesus. Durante as suas viagens, as aglomerações se tornaram tão intensas que o Senhor quis levar os seus discípulos a uma região mais isolada para ter um pouco de espaço. Na verdade, o evangelho de Marcos nos fala que Jesus *entrou numa casa e não queria que ninguém soubesse disso* (Mc 7.24).

Mas não há meios da presença do Messias ser escondida. Então, conforme as pessoas começaram a se agregar, Jesus abriu mão da sua oportunidade de descansar e voltou ao seu ministério de cura e ensino, tudo evidência do seu poder e da sua bondade — em outras palavras, da sua virtude. Depois que essas pessoas testemunharam o ministério de Jesus, como eles o viam? O seu relato era que *ele faz bem todas as coisas* (v. 37).

Os dias de Jesus na terra foram marcados pela excelência. Esta era uma forma de vida para ele, e nada o dissuadiria disso. Mesmo diante da presença sufocante das multidões e das pressões das críticas, Jesus não mudava. Ele se recusava a fazer qualquer coisa pela metade ou sem convicção. Ele não tentava fugir de nada. Não optava por atalhos ou tentava evitar responsabilidades. Por causa do seu compromisso com a excelência, Jesus nunca dava menos que o seu tudo às pessoas à volta dele.

### ◆ Refletindo em seu coração

Talvez você tenha algumas áreas nas quais seja excelente... tais como cozinhar, organizar, decorar ou administrar. Mas o traço da excelência não deveria ficar confinado a algumas áreas limitadas. Como cristã, a excelência deve ser o seu objetivo em cada área e papel da sua vida. Os "cadas" também se estendem de forma a incluir cada tarefa. Ser virtuosa é uma forma de vida — a sua forma de vida!

## 258 UMA MULHER QUE REFLETE O CORAÇÃO DE JESUS

A atribuição dada por Deus é nutrir e desenvolver a excelência até que ela permeie cada aspecto do seu pensamento e de suas ações, até que ela esteja incorporada ao seu caráter. Seja você uma esposa, mãe, membro da família, dona de casa, seja uma funcionária, reflita a excelência de Jesus. Faça bem todas as coisas.

### MAS RECEBEREIS PODER

O desafio de fazer bem todas as coisas deixa você sobrecarregada ou desanimada? Soa intimidador, não é mesmo? Às vezes pode parecer absolutamente impossível e poderia fazer você desistir de desenvolver a gloriosa qualidade da virtude. Mas Jesus sabia muito bem quanto era difícil fazer bem as coisas. E ele já providenciou exatamente o que você precisa. Ele lhe deu um "consolador", o Espírito Santo. A primeira menção que Jesus fez do consolador prometido aos discípulos foi depois de ficarem entristecidos porque ele disse que os deixaria em breve. Para encorajá-los, ele disse: *É para o vosso benefício que eu vou. Se eu não for, o consolador não virá a vós; mas, se eu for, eu o enviarei* (Jo 16.7).

Imagine o alívio deles quando os doze ouviram dos lábios do Senhor que um "consolador" estava a caminho! O Espírito Santo estaria ali para guiá-los, dirigi-los e motivá-los da mesma maneira como Jesus fazia quando estava presente em forma física na terra. Como garantia final de que Jesus não deixaria os discípulos sem os recursos que precisavam para servi-lo, Jesus prometeu: *Mas recebereis poder quando o Espírito Santo descer sobre vós* (At 1.8).

### ◆ Refletindo em seu coração

Que alívio! Você tem um consolador! Assim como os primeiros seguidores de Jesus, você também pode cumprir qualquer serviço, compromisso e obrigação que caia sobre os seus ombros, e fazê-lo com excelência! Como cristã, esses objetivos são atingíveis por causa da presença e do poder do Espírito Santo que habita em você. Ao andar pelo Espírito e ser controlada por ele, você vivencia o caráter virtuoso de Cristo. Equipada com esse poder, você pode viver com excelência. Você pode ter um impacto positivo nos outros. Você pode amar a Jesus e glorificá-lo sendo responsável — virtuosa e excelente — em todas as áreas. É como o apóstolo Paulo exortou: *E tudo quanto fizerdes, quer por palavras, quer por ações, fazei em nome do Senhor Jesus* (Cl 3.17).

## ◆ Refletindo o coração de Jesus

Pense em Jesus e em tudo que a qualidade da virtude o capacitou a realizar. Ele tinha uma lista de afazeres vinda do Pai. Ele acordava todos os dias para cuidar dessa lista. As tarefas cumpridas eram mais ou menos assim:

- Guardar a lei
- Servir e ministrar às pessoas
- Ir às pessoas e pregar o evangelho
- Ir a Jerusalém... e ir à cruz
- Realizar toda a vontade do Pai

Como mulher, você também tem uma lista de afazeres vinda de Deus, que inclui cuidar de você mesma e da sua família, da sua casa, do seu ministério e do seu trabalho. Ao orar pela sua lista, lembre-se de Jesus. Deixe que a fidelidade dele lhe mostre o caminho para os seus dias. Ele não dava desculpas, parava ou desistia. Em vez disso, buscava realizar a vontade do Pai. Assim como Jesus, o desejo do seu coração é agradar a Deus. Então assuma o coração de Jesus — um coração virtuoso.

## Uma oração

Maravilhoso Jesus! O meu coração está perdido sem palavras. Uma parte de mim desfalece ao pensar em ser virtuosa e perseguir a excelência em todas as coisas. Mas tu me mostraste o caminho. Tu o trilhaste diante de mim. Ajuda-me a trilhá-lo. Amém e amém.

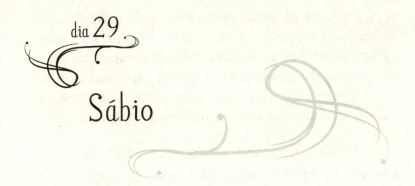

# dia 29

# Sábio

Ah, não, outra decisão para tomar! Um pensamento como esse já ressoou na sua mente e no seu coração? Como filha de Deus, penso que a sua vida seja inacreditavelmente complicada e rigorosa, certo? Você cumpre várias funções, tem uma lista de um quilômetro de afazeres e as pessoas esperam que você vivencie os seus muitos papéis e responsabilidades — em tudo isso exibindo um espírito manso e tranquilo!

O que uma mulher tem de fazer? Como podemos sempre — ou pelo menos a maior parte do tempo — tomar as decisões certas, que honram a Cristo? Ao nos aproximarmos do fim da nossa lista das qualidades de caráter expostas de forma resplandecente na vida de Jesus, somos novamente abençoadas ao recorrer a ele como quem tinha a sabedoria perfeita. Assim, nele temos o melhor modelo para seguirmos em nossa busca pela sabedoria.

◆ Jesus nos mostra o caminho

A FONTE DE TODA A SABEDORIA

Jesus, sendo Deus, tinha perfeito conhecimento e, portanto, agia à luz de toda a verdade e de todos os fatos. Em sua perfeição humana, Jesus também era capaz de aplicar toda a verdade e todos os fatos com sabedoria imaculada. A sabedoria se mostra nas escolhas feitas, nas ações tomadas e nas palavras ditas. Essa é a verdadeira sabedoria — a aplicação correta do conhecimento. Hoje queremos olhar novamente para Jesus e especialmente para a sua sabedoria. Precisamos entender como nós também podemos desenvolver a sabedoria que nos fará mais semelhantes a Cristo não somente na forma em que vivemos, mas também nas decisões que tomamos.

## O CAMINHO PARA A SABEDORIA VERDADEIRA

A sabedoria vem com o novo nascimento que ocorre no momento da salvação, como Nicodemos descobriu durante uma visita secreta a Jesus. Já nos encontramos com Nicodemos num capítulo anterior, no contexto da coragem. Mas o destaque da vida dele hoje se centraliza num encontro que ele teve com Jesus no início do ministério do nosso Senhor. Nicodemos se tornava crescentemente interessado em saber mais sobre Jesus. Uma noite, esse erudito, mestre respeitado, procurou Jesus para conversar com ele. Apesar de Nicodemos fazer isso à noite, em secreto, ele abordou Jesus com o coração aberto e sedento, crendo que Jesus tinha as respostas. Nicodemos, um mestre, foi a Jesus com um espírito ensinável.

Eis a cena: um mestre em Israel está vindo à fonte de toda a sabedoria para buscar sabedoria. Que conselho sábio Jesus deu a Nicodemos? Ele lhe disse: *Necessário vos é nascer de novo* (Jo 3.7). Em outras palavras, se Nicodemos quisesse realmente a sabedoria de Deus, teria que recomeçar do zero. Uma vez que tivesse "nascido de novo" e se tornado um crente em Jesus como o Messias, ele seria habilitado a viver e agir de maneira coerente com a sua nova natureza. Ele experimentaria o poder transformador da salvação.

◆ Refletindo em seu coração

Ao entender e aceitar o conceito de nascer de novo, você receberá a sabedoria em Jesus Cristo conforme ele permear a sua vida. É assim que o caminho para a sabedoria funciona: Primeiro, com o novo nascimento, você recebe a vida eterna, o poder e a direção do Espírito Santo, e a sabedoria. Depois, ao seguir Jesus — o Senhor, o Santo, a Luz da Verdade —, você se torna mais consciente de como Jesus quer que você aja. Logo você começa a aplicar a sabedoria que está aprendendo ao seu processo de tomada de decisão e começa a tomar decisões mais sábias. O seu falar também se torna mais cuidadoso e gracioso ao decidir falar de forma sábia. A sabedoria trabalha de dentro para fora, começando com o seu coração.

O que Jesus disse a Nicodemos se aplica a você também: você deve nascer de novo. Se isso não é verdade para você, pode recomeçar a sua vida hoje e começar a andar em sabedoria — a sabedoria dele, a sabedoria celestial. Você pode abraçar Jesus e a sua graça salvadora a qualquer momento. Você pode nascer de novo recebendo-o como o seu salvador.

### ◆ A busca pela sabedoria

A Bíblia diz que aqueles que estão em Cristo têm a mente de Cristo (1Co 2.16). Nele temos a capacidade para crescer em sabedoria se estivermos dispostas a pagar o preço para obtê-la. Uma das minhas passagens favoritas com relação à sabedoria está em Provérbios, o livro da sabedoria. Ao lê-lo agora, talvez você queira pegar uma caneta ou um lápis para circular os verbos que indicam o que está envolvido na busca pela sabedoria.

> *Meu filho, se aceitares minhas palavras e guardares contigo meus mandamentos, para que faças teu ouvido atento à sabedoria e inclines o coração ao entendimento; sim, se clamares por discernimento e levantares tua voz por entendimento; se o buscares como quem busca a prata e o procurares como quem procura tesouros escondidos;*

*então entenderás o temor do* Senhor *e acharás o conhecimento de Deus. Pois o* Senhor *dá a sabedoria; o conhecimento e o entendimento procedem da sua boca* (Pv 2.1-6).

## Examine as Escrituras

A sabedoria de Jesus que estamos considerando vem do conhecimento da sua Palavra, a Bíblia. Um salmista no Antigo Testamento afirmou isso quando exclamou: *Como amo tua lei! Ela é minha meditação o dia todo. Teu mandamento me faz mais sábio do que meus inimigos* (Sl 119.97,98).

Os eruditos judeus dos dias de Jesus devotaram a vida ao estudo das Escrituras — não para entender sobre Jesus como Messias, mas para possuir um conhecimento superior e entender os "detalhes" da lei (Jo 5.39). Por terem o conhecimento como objetivo, eles deixaram passar o foco da leitura e do estudo da Bíblia. Eles deixaram passar a verdade de que Jesus era o Messias. É como Jesus lhes disse: *Vós examinais as Escrituras, pois julgais ter nelas a vida eterna; e são elas que dão testemunho de mim* (Jo 5.39). Jesus estava censurando esses eruditos, porque se negaram a perceber o propósito das Escrituras, que tornam públicos a pessoa, o trabalho e o caráter do filho de Deus.

Cristo é revelado nas Escrituras. E, como você e eu lemos na Bíblia, somos transformadas à imagem de Jesus. É como as próprias Escrituras declaram: *Toda a Escritura é divinamente inspirada e proveitosa para ensinar, para repreender, para corrigir, para instruir em justiça; a fim de que o homem de Deus tenha capacidade e pleno preparo para realizar toda boa obra* (2Tm 3.16,17). Há poder transformador na Palavra de Deus que nos habilita e torna o nosso comportamento mais semelhante ao de Cristo.

### ◆ Refletindo em seu coração

Conhecer Jesus pela leitura da Bíblia lhe dará o conhecimento de que precisa para tomar decisões sábias, fazer escolhas melhores e falar com sabedoria. O Senhor tem um plano para a sua vida — um plano grandioso. Ao examinar as Escrituras, você é aperfeiçoada e preparada para esse plano grandioso. Você se reveste do coração de Jesus e das qualidades que ele possuía ao ser conformada à imagem dele por meio da sua Palavra. Você faz a obra de Cristo, que andou por toda parte fazendo o bem (At 10.38). Colocando de forma simples, quanto mais você cresce no conhecimento de Cristo, mais ele será revelado a você e refletido pela sua vida.

## PEÇA A DEUS

É difícil assimilar que Jesus, que era Deus em carne humana, buscava a sabedoria do Pai por meio da oração. De tudo o que lemos nos evangelhos e notamos várias vezes neste livro, Jesus estava constantemente falando com Deus Pai sobre as decisões e questões que ele enfrentava. Ele escolheu restringir o uso da sua natureza divina no que dizia respeito às decisões que tomava. Ele confiava totalmente na sabedoria do Pai para obter direção. Até ao avançar em direção à cruz, ele orou: *Seja feita a tua vontade* (Mt 26.42).

A oração é o caminho para a sabedoria. Peça a ajuda de Deus em toda e qualquer decisão que deve tomar ao longo do seu dia agitado. Para algumas decisões, você pode orar longamente. E mesmo naqueles momentos em que você tem uma fração de segundo para buscar a direção de Deus, você pode rapidamente perguntar: "Pai, qual é a coisa certa a fazer? Qual é a coisa certa a dizer?" No texto de Tiago 1.5, lemos: *Se algum de vós tem falta de sabedoria, peça a Deus, [...] e lhe será dada.* Faça dessa instrução — e da promessa que a acompanha — o seu guia para tomar decisões e fazer escolhas. Então, nas palavras de Jesus,

> *Pedi, e vos será dado; buscai, e achareis; batei, e a porta vos será aberta. Pois todo o que pede recebe; quem busca acha; e, ao que bate, a porta será aberta* (Mt 7.7,8).

## ◆ Refletindo em seu coração

A mensagem de Deus para o seu coração é esta: Se você quer sabedoria, peça a ele. Mas entenda que, quando pedir sabedoria, você terá que estar pronta para fazer o que for exigido para recebê-la... e segui-la. Esteja pronta para fazer o que for necessário, como ler a Bíblia, obedecer ao que descobrir na Palavra de Deus, depender da orientação de Deus por meio da oração, buscar a contribuição de conselheiros sábios e seguir o exemplo de pessoas maduras que já estão trilhando o caminho da sabedoria de Deus. A sabedoria está clamando por você. Você está ouvindo? A sabedoria diz: *Amo os que me amam, e os que me buscam com persistência me acharão* (Pv 8.17).

*Salomão pediu sabedoria* — Um homem em especial, na Bíblia, serve como exemplo da sabedoria por haver pedido sabedoria a Deus. Pode ser que você já conheça essa história. Salomão sucedeu a seu pai, Davi, como rei de Israel. Davi foi um grande rei que colocou as doze tribos de Israel sob um reino unificado. A minúscula nação de Israel se tornou uma potência a ser reconhecida sob o reinado de Davi. Depois que Davi morreu, estou certa de que Salomão estava um pouco inseguro com as suas novas responsabilidades como rei, de quem se esperava que seguisse o poderoso exemplo do seu pai.

Então o que Salomão fez? Primeiro, a Bíblia relata que ele amava o Senhor (1Rs 3.3). Portanto, era muito natural que ele tomasse o próximo passo — ele orou. Salomão se apresentou a Deus e pediu sabedoria. Em essência, ele orou: "Senhor, por favor, dá-me sabedoria. Dá-me um coração compreensivo" (consulte v. 9). Deus honrou o pedido de Salomão e lhe deu sabedoria, e Salomão se tornou o homem mais sábio de todas as Escrituras até Jesus.

*Roboão* não pediu sabedoria — Agora veja o contraste entre Salomão e o seu filho Roboão (1Rs 12.1-19). Como sucessor do seu pai, esse jovem estava enfrentando a mesma situação que Salomão havia enfrentado: ele era um novo rei e precisava de ajuda na tomada de decisões com relação à nação. Ele também pediria sabedoria a Deus como o seu pai havia feito? Infelizmente, ele escolheu seguir o conselho de seus colegas jovens e tolos. Ele tomou decisões tolas que acabaram despedaçando a nação de Israel com a guerra civil.

### ◆ Refletindo em seu coração

Você não tem um reino para dirigir, mas tem uma casa, a sua família, as suas finanças e a sua vida para dirigir. Os resultados que você colher serão afetados pelo fato de você escolher buscar a sabedoria e a direção de Deus ou não. As suas decisões terão grandes consequências sobre você e aqueles à sua volta. Por isso é sábio buscar a sabedoria de Deus, pedir a orientação dele. Faça o propósito de seguir o exemplo de Salomão e peça sabedoria a Deus diariamente.

### ADQUIRA A SABEDORIA

Saber que precisamos de sabedoria é uma coisa. Mas também devemos decidir fazer como Provérbios 4.7 nos diz: *A sabedoria é o principal; portanto, adquire a sabedoria; sim, adquire o entendimento com tudo o que possuis.* Lucas 2.52 diz que Jesus crescia em sabedoria. E assim como Jesus, em sua humanidade, passou por todos os processos normais do crescimento, incluindo o crescimento na sabedoria que vem com a experiência e a maturidade, também devemos ver o crescimento na sabedoria como um processo.

A sabedoria não vem da noite para o dia, mas você pode acelerar esse processo, perseguindo o objetivo de adquirir a sabedoria. Como você pode fazer isso acontecer?

1º Passo: Deseje a sabedoria — *Feliz é quem encontra sabedoria, e quem adquire entendimento; pois o lucro da sabedoria é melhor que o da prata; sua renda é melhor do que o ouro* (Pv 3.13,14).

2º Passo: Ore por sabedoria — *Sim, se clamares por discernimento e levantares tua voz por entendimento; [...] então entenderás o temor do* Senhor *e acharás o conhecimento de Deus* (Pv 2.3,5).

3º Passo: Busque a sabedoria — *Se o buscares* [sabedoria] *como quem busca a prata e o procurares como quem procura tesouros escondidos* (Pv 2.4).

4º Passo: Confie na sabedoria de Deus — *Confia no* Senhor *de todo o coração, e não no teu próprio entendimento. Reconhece-o em todos os teus caminhos, e ele endireitará tuas veredas* (Pv 3.5,6).

## ◆ Refletindo o coração de Jesus

Ao contrário de Jesus, você não fará sempre escolhas e decisões perfeitas. Mas, quando escolher se submeter à vontade do Pai e seguir a sua liderança, você refletirá o coração de Jesus. Você se achará enxergando a vida da perspectiva dele. Você começará a escolher cursos de ação melhores. Você será abençoada pelos resultados da sabedoria que está empregando, assim como as outras pessoas na sua vida. Você se tornará a mulher que deseja ser — uma mulher de sabedoria. Você se tornará *mulher sábia* [que] *edifica sua casa e abre sua boca com sabedoria* (Pv 14.4; 31.26).

## Uma oração

*Meu Senhor, tu és a sabedoria de Deus* (1Co 1.24). *Cresceste em sabedoria, andaste em sabedoria, falaste com sabedoria e viveste de forma sábia. Estabeleceste um padrão para eu seguir. Que as minhas escolhas e as minhas palavras reflitam a tua sabedoria. Amém.*

dia 30

# Adorador

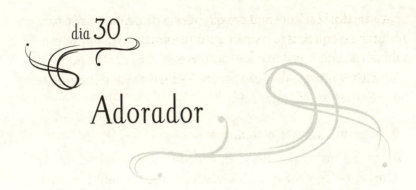

Quando o meu Jim dá aula ou prega sobre a adoração, uma de suas perguntas favoritas para o grupo é: "Qual a sua experiência de adoração mais memorável?" Definitivamente, isso gera um compartilhamento empolgante! Bem, a minha experiência de adoração mais memorável ocorreu durante um culto de Páscoa. Eu sempre achei as reuniões de Páscoa muito tocantes, com música especial e mensagens sobre a morte, o sepultamento e a ressurreição de Jesus. Eu saio desses cultos inspirada e desejosa por ver Jesus como as mulheres da Bíblia viram, quando descobriram o túmulo vazio e foram as primeiras a ver o Senhor glorificado depois da sua ressurreição.

Bem, lá estava eu, junto com o meu marido, Jim, e um grupo da nossa igreja, sentados ao ar livre num banco de madeira debaixo de um caramanchão coberto de cipó, ouvindo o pastor pregar a mensagem sobre a ressurreição de Jesus. O que tornou esse evento tão inesquecível foi o lugar onde o culto aconteceu. Nós estávamos no que é chamado de "Tumba do Jardim" em Jerusalém.

Tente projetar na sua mente como foi estar em Jerusalém... no domingo da ressurreição... nessa tumba... ouvindo uma mensagem sobre a ressurreição... e cantando o hino "Da sepultura saiu". Imagine que enquanto tudo isso está acontecendo, você está olhando para a tumba entalhada numa parede de pedra com a pedra que servia de porta, rolada para o lado. Se aquela era ou não a tumba verdadeira onde Jesus foi sepultado e ressuscitou no terceiro dia, não importava. Aquele tempo de adoração foi um lembrete visual incrível de que *Ele ressuscitou!* (Mc 16.6).

### ◆ Jesus nos mostra o caminho

Antes de entrarmos nessa qualidade muito pessoal de ser adoradora, perceba que a adoção, como ato, é definida como honra ou reverência a um ser divino ou um poder sobrenatural. Ela retrata grande estima ou respeito, honra ou devoção excessivos.

Estamos tão acostumadas a focar na adoração a Jesus e aprender mais sobre a adoração que às vezes esquecemos que o próprio Jesus buscava a adoração verdadeira. Ele participava na adoração nas sinagogas em sua cidade natal e em outras cidades por todo o Israel. A sua vida de oração — outro meio de adoração — também mostra um desejo claro e passional de ter comunhão com o Pai. Na verdade, algumas vezes ele orou muito longamente, até a noite toda. Ele orava com grande intensidade — podemos testemunhar nas Escrituras os momentos difíceis quando ele se ajoelhou no jardim de Getsêmani e orava em agonia, de tal modo que *o seu suor tornou-se como gotas de sangue, que caíam no chão* (Lc 22.44). Ele orava antes de decisões importantes, como escolher os doze discípulos (6.12,13).

Fica muito evidente por meio das introduções de Jesus ao Pai que Jesus estava honrando o Pai e buscando direção e força. Então, num sentido técnico, Jesus era um adorador. Mas a sua adoração ia muito além do aspecto técnico da oração, muito além da sua disciplina e fidelidade na oração. Na verdade, ele permanecia em estado constante de adoração, porque estava em comunhão constante com o Pai.

Ao terminarmos a nossa jornada de trinta dias rumo a nos tornarmos uma mulher que reflete o coração de Jesus, é realmente apropriado que terminemos com a adoração. Quero que nos concentremos não tanto nas atividades de adoração de Jesus, mas nos nossos atos de adoração em direção a Jesus. Espero e oro para que a nossa pesquisa sobre essas distintas qualidades de caráter que definiram Jesus lhe tenha trazido ao ponto de querer parar e dar louvor ao Pai pelo dom do seu filho. Então, antes de iniciarmos, tire um tempo para adorá-lo e lhe dar graças de coração.

## Ofereceram-lhe presentes

Adorar é trazer o melhor que temos a Jesus. Foi isso o que os magos fizeram. E os seus presentes não eram um remendo. A sua viagem para encontrar o bebê nascido "rei dos judeus" levou possivelmente dois anos. No que dizia respeito aos presentes para o bebê Jesus, eles não pegaram simplesmente umas lembrancinhas ao longo do caminho ou escolheram alguma coisa que tinha sobrado da viagem. Eles escolheram trazer o seu melhor, os seus presentes mais caros e desejáveis. Então, *quando entraram na casa, viram o menino com Maria, sua mãe, e, prostrando-se, o adoraram. Depois, abrindo os seus tesouros, ofereceram-lhe presentes: ouro, incenso e mirra* (Mt 2.11). Os magos trouxeram presentes e adoraram Jesus por quem ele era. Esse é o âmago da verdadeira adoração — honrar a Jesus como o filho de Deus e lhe dar o que é valioso para nós.

Desde o início da história bíblica, Deus exigiu que as nossas ofertas a ele fossem o melhor que temos. Frequentemente, no Antigo Testamento as pessoas enfrentavam julgamento, porque trouxeram ofertas inferiores para Deus. Caim foi julgado porque trouxe um presente inferior para Deus. O seu irmão Abel *trouxe da gordura das primeiras crias de suas*

UMA MULHER QUE REFLETE O CORAÇÃO DE JESUS

*ovelhas. E o Senhor acolheu bem Abel e sua oferta, mas não acolheu Caim e sua oferta* (Gn 4.4,5).

Você deve adorar a Deus porque ele é santo e o nosso criador. Ele é digno da nossa adoração e do melhor que você tem para dar. Por causa da morte de Jesus como Cordeiro de Deus que tira o pecado do mundo, não é mais necessário trazer animais a Deus para ser sacrificados como parte da nossa adoração. O que Deus deseja de você é uma oferta de si mesma. Você deve apresentar o seu corpo como *sacrifício vivo, santo e agradável a Deus, que é o vosso culto racional* (Rm 12.1).

◆ Refletindo em seu coração

Como mulher que deseja refletir Jesus, você provavelmente também deseja agradar a Deus. Isso significa não somente passar pelas propostas e disciplinas da adoração. Significa envolver o seu melhor na sua adoração — a sua melhor atitude, o seu melhor louvor, a sua melhor obediência, o seu culto mais sincero e o seu melhor eu. Deus exige que você seja o seu melhor — limpa e santa — quando vier a ele em adoração. Ele pede que você lhe ofereça o dom de si mesma como sacrifício vivo. Como oferta apresentada, você se torna um instrumento de culto íntegro, e isso agrada a Deus!

## Ela deu graças a Deus

Adorar também é louvar a Deus pelo dom do seu filho. Uma das mulheres maravilhosas da Bíblia que entenderam a importância do louvor foi Ana, uma profetisa. Essa viúva tinha se dedicado a Deus desde a morte do seu marido. Ela nunca se casou novamente, mas, em vez disso, concentrou a sua atenção na adoração a Deus. Ela *não se afastava do templo, cultuando a Deus dia e noite com jejuns e orações* (Lc 2.37). E lá estava ela, no templo, no dia em que o bebê Jesus foi

apresentado ao Senhor. Ana estava entre os primeiros a ver
— e adorar — o salvador!

Ana nunca saía do templo, o que significa que ela fez da
adoração a ocupação da sua vida. Ela pode não ter dormido ali, mas com certeza o seu estilo de vida era de adoração.
Num dos dias repletos de adoração de Ana, ela conheceu o
objeto da sua adoração. *Tendo chegado naquele momento, deu
graças a Deus* (v. 38). Ana conheceu o menino Cristo e louvou a
Deus porque esse bebê traria redenção para a nação (conforme prometido em Isaías 52.9).

### ◆ Refletindo em seu coração

Já que Ana adorava a Deus literal e fisicamente noite e dia,
você pode fazer o mesmo espiritualmente. Você pode adorar a Deus em qualquer lugar e a qualquer hora por meio
da oração. Você pode dar graças ao Senhor em todos os
momentos e em todos os lugares... e por todas as coisas.
Quanto mais você o adora por meio da oração e do louvor,
mais você fica consciente da presença dele. E, quanto mais
você fica consciente da presença dele, mais você desejará
orar e louvá-lo! É como Jesus diria mais tarde à mulher samaritana, você pode adorar a Deus em qualquer lugar ao
adorar *em espírito e em verdade* (Jo 4.23,24, ARC).

#### ADORAR EM ESPÍRITO E EM VERDADE

Como já pudemos perceber, a adoração não requer um lugar.
Foi através dos lábios de Jesus que essa verdade pela primeira
vez foi mencionada no Novo Testamento. Você e eu já visitamos essa passagem antes. Vejamos agora o que ela nos diz
sobre a adoração.

Enquanto Jesus estava a caminho da Galileia, ele e os discípulos pararam num poço de um lugar conhecido como Samaria. Os discípulos deixaram Jesus para entrar num vilarejo para buscar comida, enquanto Jesus permaneceu ao lado da fonte de água da cidade. Quando certa mulher — uma mulher samaritana — veio tirar água, Jesus entrou num diálogo com ela sobre a adoração. Tanto os judeus quanto os samaritanos acreditavam que o lugar para uma pessoa adorar era o que mais importava para Deus. Cada grupo tinha o seu próprio lugar de adoração, e cada um achava que o seu lugar era o "certo". Eles eram como dois times rivais de futebol!

Foi a essa mulher que Jesus anunciou: *Mas a hora vem, e agora é, em que os verdadeiros adoradores adorarão o Pai em espírito e em verdade, porque o Pai procura a tais que assim o adorem. Deus é Espírito, e importa que os que o adoram o adorem em espírito e em verdade* (Jo 4.23,24, ARC). Com essas palavras, Jesus colocou o lugar da adoração em segundo plano com relação ao nosso relacionamento com Deus. De acordo com o Senhor, a nossa adoração tem dois aspectos:

- *Devemos adorar em espírito* — o nosso espírito humano. Não devemos ficar pensando na lista de compras, no que tem para o almoço ou nos compromissos de amanhã. Devemos focar a nossa atenção e o nosso louvor em Deus, certificando-nos de que estamos adorando com a atitude certa, que estamos adorando no coração e em espírito.
- *Devemos adorar em verdade* — consistente com a natureza de Deus revelada nas Escrituras. Ao adorarmos a Jesus como Deus, o *Verbo que se fez carne* (Jo 1.14), ele revela o Pai a nós (14.6).

### ◆ Refletindo em seu coração

Quando você vai à igreja, a quem está adorando e com que tipo de atitude? Você fica distraída da sua atenção a Deus? Você fica pensando que, como está lá e todos a veem, já cumpriu o seu dever e fez o que era esperado de sua parte?

Se isso a descreve, então você não está adorando em "espírito". E a quem você está adorando? É ao Jesus verdadeiro, Deus que tomou forma humana e veio à terra para morrer sem pecado a fim de pagar pelos seus pecados? Ou você está adorando um Jesus da sua própria imaginação, a quem você não tem tanta obrigação de obedecer? Se você é essa pessoa, então não está adorando em "verdade". Antes de voltar a adorar, sonde o seu coração. Certifique-se de estar adorando tanto em espírito quanto em verdade.

## A ELE OUVI!

A adoração também exige a sua obediência. Pensamos que Jesus nunca tirava uma folga, não é mesmo? Parece que ele nunca precisava "dar uma parada". Mas, logo após ter feito as primeiras previsões da sua morte e ressurreição (Mt 16.21), Jesus foi para as montanhas com os seus três discípulos mais chegados, Pedro, Tiago e João. Enquanto estavam ali com Jesus, ele permitiu que eles tivessem um breve vislumbre da sua glória. Os discípulos ficaram boquiabertos e, como de costume, Pedro começou a falar. Mas ele foi rapidamente interrompido pela voz de Deus. *Ele ainda estava falando quando uma nuvem luminosa os cobriu; e dela saiu uma voz que dizia: Este é o meu filho amado, em quem me agrado; a ele ouvi* (Mt 17.5).

A adoração autêntica, de coração, resulta em submissão e obediência a Jesus. O Pai falou para os discípulos abrirem os seus ouvidos e ouvir a Palavra de Deus a fim de obedecer a Jesus. E isso se aplica a todos os crentes, inclusive a você e a mim. Jesus disse: *Se alguém me amar, obedecerá à minha palavra; e meu Pai o amará* (Jo 14.23).

## ◆ Refletindo o coração de Jesus

Louvado seja Deus! Você é livre para adorar Jesus em qualquer lugar e a qualquer hora. Isso significa que você pode e deveria estar em estado contínuo de adoração. Você está sempre no templo espiritual de Deus. Você pode sempre orar, louvar e derramar o seu coração em ações de graças e petições ao Deus sempre presente. Você pode ter uma conversa permanente com ele. A mulher que permanece em Cristo, que vive na sua santa presença, anda pelo seu Espírito e o adora com todo o seu coração refletirá Jesus de forma verdadeira. Então adore ao Senhor, todo glorioso nas alturas!

## Um louvor

Jesus nasceu e viveu em fraqueza, ainda que fosse o beneficiário de todo o poder. Ele foi o mais pobre de todos, ainda que possua todas as riquezas do céu e da terra. Jesus foi zombado como um tolo na sua morte, ainda que seja a sabedoria de Deus. Ele foi humilhado no seu julgamento, ainda que tenha recebido toda a honra e glória. Ele se fez maldição na cruz, ainda que tenha se tornado uma bênção para todos os que creem. O único clímax adequado para esse plano eterno do Pai é que todo o universo se prostre e adore ao único que é digno de adoração e erga louvor ao Cordeiro de Deus, como descrito pelo apóstolo João em Apocalipse 5.11-14:

> Então olhei e também ouvi a voz de muitos anjos ao redor do trono e dos seres viventes e dos anciãos cujo número era de milhares de milhares e de milhões de milhões. Eles proclamavam em alta voz: O Cordeiro que foi morto é digno de receber o poder, a riqueza, a sabedoria, a força, a honra, a glória e o louvor.
>
> Também ouvi todas as criaturas que estão no céu, na terra, debaixo da terra, no mar e tudo que neles existe, dizerem: Ao que está assentado no trono e ao Cordeiro sejam o louvor, a honra, a glória e o domínio pelos séculos dos séculos!
>
> E os quatro seres viventes diziam: Amém. Os anciãos também se prostraram e adoraram.

# Elizabeth George

É autora de *best-sellers* e uma oradora que tem paixão por ensinar a Bíblia para mudar a vida das mulheres. Ela tem mais de cinco milhões de livros impressos, incluindo *Uma mulher segundo o coração de Deus* e *Mulheres que amaram a Deus*.

Para obter informações sobre os livros de Elizabeth ou o ministério de palestras, inscreva-se para receber correspondências. Para adquirir livros de Elizabeth, favor entrar em contato por:

www.ElizabethGeorge.com
ou
Elizabeth George
Caixa postal 2879
Belfair, WA 98528

# Anotações

# Anotações

# Anotações

# Anotações

# Anotações

# Anotações

# Anotações

# Anotações

Sua opinião é importante para nós.
Por gentileza, envie-nos seus comentários pelo e-mail:

**editorial@hagnos.com.br**

Visite nosso site:

**www.hagnos.com.br**